JN111648

なぜか好かれる人の

言いかえ手帖

一般社団法人好かれる言いかえラボ代表
つみきち

は じ め に

こんな経験はありませんか？

● あんなこと言わなきゃよかったと後悔した
● 本当は嫌だけど上手く断れなくて、引き受けてしまう
● 関係を築いたり褒めたりしたいのに、ぎこちなくなり変な空気
  になった

また、あなたの周りにこんな人はいませんか？
こんな人になりたいと思ったことはありませんか？

● 自然と嬉しい一言を言ってくれる、前向きで褒め上手な人
● 会話が楽しくていつも笑顔になる、また会いたくなる人
● その人のためならと、ついつい助けてあげたくなる憎めない人

では、どうすればなれるのでしょうか？
ヒントは会話の中にあります。

　相手にとっては、あなたの発する言葉が、あなたの考え・意見・思い
そのものなのです。
　言葉を間違えてしまうと、相手のことをどれだけ考えていたとして
も、誤解されてしまい関係にヒビが入ることも。

だから、どんな言葉で表現するかがとても重要です。

一番の解決策は、豊富な語彙力や正しい言葉遣いではなく、実は「好かれる言いかえ」なのです。

「好かれる言いかえ」とは

言葉を「プレゼント」に例えると、次のように考えられます。

- 語彙数＝プレゼントの選択肢の多さ
- 笑顔やマナー＝ラッピングの綺麗さ

いくらプレゼントの選択肢を多く持っていて、ラッピングを綺麗に整えても、相手のことを考えずに選んだプレゼントでは、相手は喜びません。

最も大切なことは「どんなプレゼントを選ぶか」です。

相手に喜んでもらったり良い関係を築いたりするには、TPOに応じ渡す相手を想ってプレゼント選びをすることがとても重要なのです。

これは会話における言葉選びでも同様です。

つまり、**好かれる言いかえとは、「相手が喜ぶプレゼントを選ぶ」**ということなのです。

人見知りの私が変わった理由

実は昔、私はとても人見知りで、かなりの口下手でした。

相手の反応を気にしてどう返すのが良いんだろうと言葉に詰まってしまったり、うまく盛り上がらず会話を楽しめなかったり、人と話した後に反省したり、何となく孤独感を感じたり。これがいつもの私でした。

そんな私が変わったきっかけは、一つの小さな出来事でした。

中学生の頃にラジオを聴きながらテスト勉強をしていたときに、たまたま私が送ったメッセージがパーソナリティさんに読まれたことがありました。

「夜中まで勉強を頑張っているのって本当すごいよね」と褒めて励ましの言葉をかけてくれたのです。

私に贈られたその言葉は、なにげない一言だったかもしれませんが、受け取る私にとっては心を打たれた大きなプレゼントでした。

一度も会ったことがない、顔もわからない相手に対して、素敵な言葉をかけてくれるパーソナリティさんをとても身近に感じたことを今でもよく覚えています。

私も素敵な言葉を届けられる人になりたいと志し、この出来事から10年後、司会の仕事をしながら自分のラジオ番組を複数持ち、特番を任せてもらえるほどのパーソナリティになることができました。

　言葉を届ける立場として、自分が言われて嬉しかった言葉を普段からメモするようになり、これまで10年を超えて書きためました。

　いつもの言葉をちょっと変えるだけで素敵な言葉になる「好かれる言いかえ」を共有したいとインスタグラムに投稿したところ、
「家族や友人、同僚との会話や関係が良くなった」
「考え方が変わって、気持ちが前向きになった」
「お願いや断るのが怖くなくなった」
「毎日が楽しくなった」
と感動の声が届き、想像を超えた大きな反響がありました。

　そして、「好かれる言いかえ」をあなたにも届けたいと、書籍化を決意しました。

　本書では、これまで私が長年書きためてきた言葉を体系的にまとめました。日常のさまざまな場面で使える実践的な言いかえを中心に紹介しています。

　ぜひ日常の中で活用しながら「好かれる言いかえ」を習得し、あなたの周りで、素敵な会話、素敵な関係がたくさん生まれますように！

つみきち

第 **1** 章 ┃ 挨拶の言いかえ

第 **2** 章 ┃ 感謝の言いかえ

第 3 章 ‖ 褒める言いかえ

第 4 章 ‖ 注意・フォローの言いかえ

第 8 章 ‖ お詫びの言いかえ

第 9 章 ‖ 会話が弾む言いかえ

第 **10** 章 ‖ 気持ちの言いかえ

第 **11** 章 ‖ 質問・返事の言いかえ

「好かれる言いかえ」ができると起こるいいこと

うちとけ
られる

言葉で
傷つけない

敵を
つくらない

周りの人に
助けてもらえる

相手が
喜んでくれる

また
会いたいと
思われる

言いにくいことを
角を立てずに
伝えられる

気持ちが
伝わる

信頼される

自己肯定感が
UPする

表現力が
UPする

第 **1** 章

挨拶の
言いかえ

初対面の人との挨拶

 いつも

はじめまして。〇〇です。

好かれる

お会いできることを
楽しみにしておりました。
〇〇と申します。

人は自分に興味を持ってくれる人に好感を持つもの。会うことを楽しみにしてくれていたことが伝わると、その後の仕事や関係がスムーズに進展しやすくなります。

好かれる

お初にお目にかかります。○○と申します。

品良く聞こえる上品なフレーズを使うことで、きちんと感を伝えることができます。

好かれる

○○さんにお会いできて嬉しいです。

相手の名前を呼ぶと「もう覚えてくれたんだ」と好印象を与えることができます。さらに「お会いできて嬉しい」と感情を伝えるといいでしょう。

好かれる

ご一緒できて嬉しいです！

再会した相手には「また」をつけて伝えると◎

好かれる

目上の方に

お目にかかれて光栄です。

「お目にかかる」は謙遜した表現。目上の方に伝えるときはこのフレーズで尊敬の気持ちを伝えよう！

第一印象を良くするコツは「姿勢」「明るさ」「ペース」

- 姿勢を良くする
- 明るくはっきりと挨拶をする
- 話すスピードを相手に合わせる

この3つを意識するだけで最初の印象はOK！

久しぶりの人との挨拶

 いつも　お元気でしたか？

好かれる　ご無沙汰しております。
お元気そうで何よりです！

「久しぶり」を丁寧に表現した「ご無沙汰しております」に加え、再会の
喜びを表す言葉を伝えましょう。

好かれる

いつまでもお変わりありませんね。

年齢が高めの目上の方には「いつまでも若々しい」「活気がある」
など、「変わっていない」という意味のフレーズが喜んでもらえます。

好かれる

○○のときは大変お世話になりました。

具体的な内容を伝えて思い出してもらい、いつまでも感謝を忘れて
いないことを伝えましょう。

好かれる

「お元気でしたか」と聞かれたら
おかげさまで元気にしています！
○○さんはお元気でしたか？

相手に聞かれたことは、相手が聞いてほしいことだったりします。聞かれ
た内容はそのまま聞き返すと、会話が弾みやすいのでおすすめです。

好かれる

「お元気でしたか」と聞かれたら
実は体が元気すぎて、食欲が止まらないんです（笑）

親しい相手にはユーモア返しもアリ！　最初の挨拶でグッと距離が
近づくユーモアフレーズを入れることでこの後の会話も盛り上がります。

久しぶりの相手に送るメッセージ

「○○社の○○です。昨年は○○に
お越しいただきありがとうござい
ました」
社名や名前だけだと、どのような
関わりがあったか思い出してもらえ
ない可能性もあるため、過去の出来事
とともに感謝を伝えましょう。

「いかが
お過ごしですか」
は具体性がなく
返事に困る人も

挨拶の後に続ける言葉

 いつも

お世話になります。

好かれる

お世話になります。
またお会いできて光栄です。

再会の喜びを伝えると好印象！ これから長い付き合いをしたい人や
大切なお客様にはぜひこのフレーズを使ってみましょう。

好か れる

おはようございます！
今日はいいお天気で気持ちいいですね！

何を話したらいいかわからないという人は、まずはお天気トークを。
「おはよう」だけより、相手との距離が近くなります。

好か れる

ご活躍されているようですが、
調子はどうですか？

多忙な相手に対して「忙しい」よりも「ご活躍」と言いかえて気遣うと
好印象◎

好か れる

声をかけてもらったら
お心遣いいただき、ありがとうございます。

声をかけてもらった際には、挨拶の後に感謝の言葉を伝えると感じ
の良い人に！

好か れる

暑い中、お疲れ様です。
冷たいお茶でもいかがでしょうか？

ねぎらいの定番の挨拶にも、ちょっとしたひと言をプラスするだけで
相手の疲れをほぐすことができます。

いつもの挨拶にプラスしたいこと

好かれる人の共通点は、「笑顔」と
プラスαの「ひと言」があることです。
「笑顔」は安心感を与えてくれ、
プラスの「ひと言」によって挨拶で
終わらず、あなたと話したいという
気持ちが伝わります！

笑顔とひと言で
感じの良い
挨拶に！

疎遠になっていた人との挨拶

 いつも 私のこと覚えていますか?

好かれる あのときお会いした〇〇です。

覚えていますか?　は覚えていなかった際に相手を緊張させてしまうため
先に名乗ると好印象です。

ご無沙汰しております！
あれから〇〇についてどうなりましたか？

好か
れる

前回会ったときに話した話題を覚えていたらぜひ聞いてみて！
「覚えててくれたんだ」と相手はあなたに好感を抱くでしょう。
例：「あれから前に話していたカフェには行かれましたか？」
「お子さんはおいくつになられたんですか？」など

〇〇さんのお顔を見ると前回の楽しかった
思い出がよみがえりますね！

好か
れる

しばらくぶりの再会だと、どんな会話をしていいかわからず緊張して
しまうことも。前回会ったときの思い出話をして、再会の緊張を解き
ほぐしてみて！

前回お会いしてから結構時間が空きましたね！
前にお会いしたのは何年くらい前でしたっけ？

好か
れる

いつぶりの再会なのか、一緒に思い出すと一体感が生まれ共感を
呼びやすくなります。

急いでいるとき人に会ったら？

急いでいるときに挨拶されたら、
「すみません、急いでいるので…」
だと慌ただしく失礼なフレーズに。
「あいにく次の予定があるので、また
ゆっくりお話ししましょう」と言いかえ
れば、好印象になります。

「急いでいる
ので…」は
失礼フレーズ！

相手の名前を
思い出せなかったら

いつも

> どちらさまでしたっけ？

好かれる

> お顔は覚えているのですが、
> お名前をもう一度
> 教えてください。

自分の記憶力が低下していることを恥ずかしく思っているように伝え、
あなたを軽んじているわけではないということを伝えましょう！

好かれる

最後にお会いしたのは、いつでしたっけ？

話のヒントから思い出せないかトライしてみてもいいでしょう。

好かれる

スマートフォンを買い替えたときに連絡先が消えてしまったので、1通メッセージを送ってくれませんか？

相手と過去に連絡先を交換したことがある場合は、このように
お願いしてみましょう。

好かれる

よかったらSNSをフォローさせてもらってもいいですか？　何という名前で検索するといいですか？

SNSでつながることが可能な相手であれば、ここで名前を確認する
こともできます。

仕事

好かれる

新しい名刺になったので、よければ再度交換させていただけませんか？

仕事で名刺交換ができる相手であればこの手も使えます。

フォロワーさんが考えたユーモアフレーズ

- お名前の漢字はどう書きましたっけ？
- 昨日の夕飯も忘れるぐらい忘れっぽくて…お名前を教えてください。
- オーラに圧倒されてお名前をど忘れしてしまいました。
- 前世では覚えていたのにな、君の名は？

**ユーモアで
明るい雰囲気を
演出しよう**

23

時間や天気を意識する

いつも

雨、大丈夫でした？

好かれる

風邪をひかないように
室温を調整するので、
寒かったら言ってくださいね！

天気や温度などを気遣う言葉は丁寧な印象を与えることができます。
お客様をお招きした際にはぜひ確認してみましょう。

好かれる

ご足労いただきありがとうございます。

悪天候の際の「お足元が悪い中」が定番フレーズですが、天候だけではなく、足を運んでもらった感謝の気持ちが伝わるフレーズです。

好かれる

今日は花粉が特に多いそうなので
お気をつけくださいね！

天気や季節を事前に確認しておき、見送る際などに伝えるのも素敵な気配りになります。

好かれる

ついつい楽しくて話し込んでしまいましたが、
次のご予定は間に合いますか？

会話が弾むと時間を忘れてしまうことも。そんなときに相手の時間を心配する気遣いをすると好印象！

好かれる

長時間ありがとうございました！
おかげで有意義な時間を過ごせました。

長い時間付き合ってくれた相手には感謝と感想を伝えましょう。時間を割いてくれたときは「お時間を割いてくださって」と伝えると好印象。

季節感を伝えるフレーズ

- 春…春めいてきましたね
- 夏…夏本番ですね！
- 秋…ご飯が美味しい季節に
　　　なりましたね
- 冬…イルミネーションに
　　　心躍る季節ですね！

四季を楽しめる
素敵な人に
なろう

手土産を渡すとき

 いつも
つまらないものですが…

好かれる
心ばかりの品ですが、
お口に合うと嬉しいです。

「つまらない」はマイナスワード。「お口に合うと嬉しい」は相手がお土産を受け取って喜んでくれることを願っており、相手との関係をより親密なものにすることができます。

好かれる

ささやかなものですがお受け取りください。

謙遜の他の表現として相手を敬う気持ちを表現したいときに使いたい「ささやかですが」はビジネスでもプライベートでも使える言葉です。

好かれる

喜んでいただけそうなものを見つけましたので…

事前に相手の好きなものをリサーチすることができたときには、このフレーズを添えて手土産を渡してみて。

好かれる

私のおすすめの〇〇です！
みなさんで召し上がってください。

お土産に自分のおすすめを選んだときは、紹介の言葉を添えて魅力を伝えると相手が喜びます。

好かれる

ほんの気持ちですが、
どうぞ召し上がってください。

相手への敬意や心配りを示すときは、このフレーズも素敵です。

手土産は「挨拶後」に渡すのがベスト

手土産を渡すベストなタイミングは
「名刺交換や挨拶が終わったあと」
と言われています。
会ってすぐ渡さずにビジネスの話題に
移る前のタイミングを見計らって、
渡してみましょう。

お礼やお詫びの
場合は
挨拶前に渡そう

別れ際の挨拶

いつも

お先に失礼します。

好かれる

名残惜しいですが、
お先にお暇します。

「名残惜しい」はこの時間が楽しかった、有意義であったと伝える
クッション言葉。会えてよかったと思っていることを表すことができます。

名残惜しいですが
お先にお暇します

好かれる

素敵な週末をお過ごしくださいね。

金曜日や土曜日にお会いした際に、素敵な時間をこのあとも
過ごせるように伝えてみましょう。

好かれる

またお会いできることを心待ちにしていますね！

また会いたいと思っていることを伝えると、相手から誘ってもらい
やすくなります。

好かれる

季節の変わり目ですので、
どうぞお身体に気をつけてお過ごしくださいね。

相手の健康を願う敬意の表現です。
特に、季節の変わり目や冬の時期など体調を気遣う際に使えます。

好かれる

○○さんにもよろしくお伝えください。

お会いできなかった関係者への気遣いの言葉を添えると好印象。

体調を気遣うフレーズ

- どうかご自愛ください
- お健やかにお過ごしください
- 夏バテにお気をつけください
- 温かくしてお過ごしください
- 風邪にご用心ください

お礼メールの
結びに使える！

褒め言葉は誰もが贈れる
プレゼント

第 **2** 章

感謝の
言いかえ

丁寧な「ありがとう」

いつも すみません。

好かれる おかげさまで助かりました。

感謝の気持ちはポジティブなワードで伝えましょう。
「すみません」は謝罪の意味合いが強く、ネガティブな印象になってしまいます。

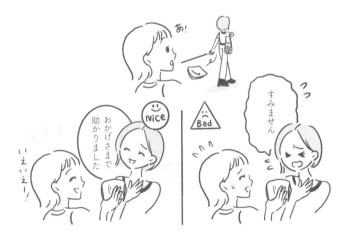

好かれる

恩に着ます。

お願いを引き受けてもらったときに使えるフレーズです。
受けた恩をありがたく思うという意味です。

好かれる

お力添えいただき、ありがとうございます。

助けてもらったり、お世話になったりしたとき、感謝を伝えるのに
ぴったりの表現です。

好かれる

お心遣いいただき、ありがとうございます。

真心や思いやりを感じたとき使える表現です。
「心遣い」は、「配慮」や「心配り」という意味があります。

好かれる

お骨折りいただき、心より感謝申し上げます。

「ご尽力」より高い敬意が伝わる言葉です。自分のために時間や
労力を費やしてくれた方に伝えてみましょう。

最上級の感謝を伝える言葉

- 幸甚の至りです
- 感無量です
- 感謝の気持ちを言葉では
  言い尽くせません
- ご厚情は一生忘れません

**感謝を
いろんな言葉で
伝えよう**

相手の行動や心遣いに感謝

いつも
洗濯してくれてありがとう。

好かれる
洗濯物干すの 大変だったんじゃない？ 本当に助かったよ。ありがとう。

感謝の言葉にプラスして相手をねぎらう言葉も伝えると、より一層感謝の気持ちが相手に伝わります。

好かれる

お花のプレゼントありがとう！
おかげで部屋が明るくなったよ！

プレゼントをもらったときには、使い心地など感想を伝えると◎

目上の人に

好かれる

大変励みになります。

ためになる助言をもらったときに、相手の言葉がやる気の源や
心の支えとなっていることを伝えましょう。

目上の人に

好かれる

お心遣い痛み入ります。

目上の人に感謝の気持ちを表すとき、できるだけ丁寧な言葉で伝え
たいもの。品格を備えた謝意の伝え方を身に付けておきましょう。

好かれる

わかりやすくなるように、たくさん表や図で
工夫してくれたんだね。さすが！

相手の立場になって想像力を働かせ伝えてみましょう。
相手も「やってよかった」「ちゃんと役に立てたんだ」と安心します。

「気遣い」と「心遣い」の違いは？

「気遣い」は、相手を気にする・考え
るというニュアンスです。日常的な
親切を指しているといえるでしょう。
「心遣い」は、それよりももう一歩
深く思いを巡らせ、相手のためになる
行いをするイメージです。

心遣いできる
素敵な人とは、
たくさん
気づける人

35

お店を選んでもらったお礼

いつも

いいお店だね。

好かれる

想像以上に
素敵なお店だね。
探してくれてありがとう!

お店を選ぶ方は相手に喜んでもらえるか不安なもの。きちんとお礼と感想を伝えましょう。「想像以上」は最高の褒め言葉になるので、おすすめの言葉です。

好かれる

一度、ここに来てみたいと思っていたんですよ。

自分も気になっていたという共通点を伝えると相手との距離が縮まります。

好かれる

こんなところにお店があったなんて！
どうやって見つけたんですか？

メイン通りにないような隠れ家的なお店に連れてきてもらった際は、物知りで感心したことを伝えてみましょう。

好かれる

あんなに脂が甘いステーキは初めて食べました。夫がお肉大好きなので、今度ぜひ連れて行きたいと思います。

「こんなの初めて」と感動したことを伝えると、連れてきたかいがあると思ってもらえます。

好かれる

素敵なお店を紹介してくださり、ありがとうございます。プライベートでもまた利用させていただきます。

また行きたいほどお店が気に入ったときには、このフレーズを相手に伝えましょう。

ごちそうになったときのお礼

- 昨夜は、ごちそうさまでした。とても美味しいディナーと楽しい時間をありがとうございました。
- ごちそうしていただき、ありがとうございました。次は私がごちそうしますので、ぜひまたお願いいたします。

お礼の言葉を忘れずに伝えましょう！

ごちそうになったとき

いつも
なんだかすみません。

好かれる
ありがとうございました！
とても美味しかったです。

あまりに謙遜すると「かえって気を使わせてしまったかな」と相手を不安にさせます。感謝と感想を伝える方が相手も嬉しい気持ちになります。

好かれる

今度は私にごちそうさせてください。
次回は私からお誘いしますね！

お礼したい気持ちが伝わるだけではなく、次回会うきっかけも
作れる便利なフレーズです。

好かれる

どのお料理もとても美味しかったので、ずっと
頬が緩みっぱなしでした。

お店も料理も気に入ったことを伝えるとよいでしょう。

好かれる

ごちそうさまです。とても楽しいひとときでした。

食事を含め、一緒に過ごした時間もすべてに満足していることを
伝える表現です。

好かれる

〇〇さんイチオシの美味しいお食事のおかげ
で元気が出ました！

ごちそうになったお礼に「おかげで」のひと言をプラスすると、喜びが
より伝わります。

翌日の午前中までにお礼を送ろう

会食や飲み会のあとは、当日中に
お礼メールを送るのがベストです。
終わった時間が遅いなど、すぐに
お礼メールを送れない場合は
翌日の午前中、遅くとも翌日中に
お礼メールを送るようにしましょう。

お礼メールは
スピードが重要！

プレゼントやお土産を
もらったとき

いつも

ありがとうございます。

好かれる

○○さんから
いただけるなんて
とても嬉しいです！

プレゼントだけではなく渡してくれたその人からもらったことが嬉しいと
伝えましょう。

好か
れる

プレゼントを受け取ったら

これずっと前から欲しかったんです！

自分の好きなものや興味があるものをいただいたときに、お礼だけでなく、相手のチョイスが嬉しいことも伝わります。

好か
れる

先日いただいたお菓子、
子どもたちが「美味しい」と大喜びでした！

第三者の喜びの声や感想を伝えると、贈り主にとって大きな喜びになります。

好か
れる

大切に使わせていただきます。

身につけるものや普段から使えるものをもらったときは、大事にすることを伝えてみましょう。

好か
れる

ありがたく頂戴します。開けるのが楽しみです！

「気を使わなくていいのに！」は謙遜でもあまりよろしくありません。プレゼントしてくれた相手のことを考えて感謝の言葉を伝えましょう。

「嬉しい」喜びを表現するフレーズ

- 心から嬉しく思います
- 舞い上がるような気持ちです
- 胸いっぱいです
- グッときました
- 〜してもらえて幸せです

喜びの表現の
レパートリーを
増やそう！

借り物を返すとき

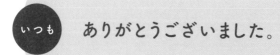

いつも ありがとうございました。

好かれる ありがとうございました。
おかげで助かりました！

返すときには、借りたものがどのように役立ったのか伝えると◎

好かれる 借りたお礼によかったらこれ食べて（お菓子を渡す）

借りたもののレベルによりますが、ちょっとしたお礼にお菓子などの
プレゼントを用意するとgood！

好かれる 貸してくれてありがとう。
このペン使いやすいね。どこで売ってるの？

借りたものの便利さなどに感動したときは、「同じものを買いたく
なった」と伝えると相手が嬉しくなります。

好かれる 貸してくれてありがとう！
○○さんは救世主だわ。今度お礼させてね。

すぐにお礼ができないときも、「今度お礼をさせてほしい」とひと言
伝えるだけで、印象が大きく変わります。

好かれる おすすめしてくださった本、夢中になって読み
切っちゃいました。

おすすめされた本や漫画に映画、ゲームなど相手の趣味が自分にも
合ったときにはぜひ感想を伝えてみましょう。

返し忘れていた場合のフレーズは？

「お返しが遅くなったことを心より
お詫び申し上げます」「借りたまま
になってごめんね」と必ず謝罪の
言葉を伝えましょう。
「つい忘れていた」と伝えると
軽んじている印象になるのでNG！

「つい忘れていた」
はNGワード！

プロジェクトなどを
終えたお礼や報告

 いつも

なんとか終わりました。

好か
れる

おかげさまで
無事に終わりました！

「おかげさま」には周りへの感謝が含まれており、仕事の細かなアドバイス
から大きなプロジェクトのサポートまで、規模の大小や協力の程度に
かかわらず、さまざまなシーンで使えます。

好かれる

このような結果を残すことができ、
今日まで全力を尽くしたかいがありました。

成功した場合には、結果と併わせて報告しよう!

好かれる

また一歩大きな壁を乗り越えたように思います。

乗り越えたことで自信がついたことをアピールするのもいいでしょう!

好かれる

〇〇さんのご助言のおかげで無事に完成しました。

助言してもらった相手には、特に直接伝えるようにすると好印象!

好かれる

終わってホッとしています。

感情を乗せた感想で気持ちを伝えるのも◎

お礼メールの3つのポイント

① お礼の言葉
② 特に記憶に残った話や感想
③ 今後の目標や次につながる言葉
　（より一層頑張る、
　　またご飯に行きましょうなど）
この3点を意識して作ることが大切です!

1にお礼!
2に感想!
最後に目標!

ためになる話を聞いたとき

いつも

勉強になりました。

好かれる

とても勉強になったので、
他の方にも
共有していいですか。

他の人に教えたいほど、素敵な話、有益な話だということを伝えられる
表現です。また、第三者が伝えることで相手の株も上がります。

好かれる

よく理解できました。胸に刻みます。

大切な話を聞いたら忘れないことを伝えて、記憶しておきましょう。

好かれる

今日も勉強になりました！　○○さんって
忙しいのにいつ勉強されているんですか？

物知りな方には「プロセス」の部分に注目して聞いてみると、距離を
縮めることができます。

好かれる

知りませんでした！
おかげでレベルUPしました！

相手の話を聞くことで成長できたことを伝えると、教えがいを感じて
もらえます。

好かれる

どうしたら○○さんみたいになれますか？

あなたに憧れている、尊敬していることを伝える表現です。

相づちのレパートリー

「なるほど、なるほど」と同じ相づち
を繰り返しているとちゃんと聞いて
いない印象を与えるので、「はい」
「おっしゃるとおり」「そうですね」
など変化を取り入れよう！

無意識のうちに
同じ相づちに
なってない？

言われて心にグッときた褒め言葉

褒め言葉を習慣的に言えるように練習するコミュニティ「褒め活部」メンバーさんにこれまでに言われて嬉しかった褒め言葉を紹介してもらったよ！

- いい質問ですね
- 仕事が早いね
- その気持ちが嬉しい
- あなたのおかげだよ
- 楽になった
- 頑張ってたもんね
- うちで作ったご飯が美味しくて落ち着く
- 教えるのがうまいね！
- 発想がずば抜けてるね！
- 笑顔が素敵だね
- 掃除が隅々まで行き届いていて、とても気持ちがいい！ありがとう！
- 料理が上手だね！お店みたい！
- 考えてくれてありがとう
- 役立ちました
- センスがいいね

- ○○の好きな人に悪い人はいません！
- 前向きだね
- あの時実は嬉しかった
- 話してて楽しい！元気もらえました
- ○○さんと会えてよかった！○○さんと話せてよかった！
- ほんとは前から話したいと思ってたんです
- ○○さんがいたから
- よく頑張ったな〜
- ○○さんとお仕事できてよかった
- ○○さんが作ったお菓子本当に美味しかった
- 面倒見がいい
- ○○さんのおかげだね！
- 努力しているね
- 居てくれるだけでいい

言われて嬉しかった褒め言葉は心に残りやすい！
ぜひ言われて嬉しかった褒め言葉をメモして、日頃から相手に
褒め言葉のプレゼントをしてみてね。

第 3 章

褒める
言いかえ

名前を入れて褒める

いつも 説明がわかりやすいですね。

好かれる ○○さんの説明は
わかりやすいですね。

名前を呼ぶと、相手は自分のことを知ってもらえている、認められていると感じて、心を開いてもらいやすくなります。

好かれる 今日も〇〇さんは仕事が早いですね！

伝えたいフレーズの中にさりげなく名前を入れてみましょう。

好かれる こちらの商品とあちらの商品でしたら
〇〇様はどちらをご希望ですか？

相手に決めてもらいたいときは特に名前を入れると効果的です。

いつも ご無沙汰しております。
いかがお過ごしでしょうか。

定番のフレーズですが、見慣れすぎて印象に残りにくいです。

メール

好かれる ご無沙汰しております。
〇〇様はお元気にお過ごしでしょうか？

印象に残るように名前を入れてみて。会話の中で名前を入れる
のが難しい場合は、メール文から始めてみましょう。

名前を呼ぶタイミングは？

- 会話始めに
- 挨拶するとき
- 褒めるとき
- メールやチャットの文章の中
- 相手に決めてもらいたいとき

さりげなく
相手の名前を
呼べるタイミング

相手の変化は
点でなく線で褒める

いつも

今日は
素敵なファッションですね。

好かれる

いつにも増して
素敵なファッションですね。

「今日は」という言葉は「限定」として伝わるため、褒めたいときは
「今日も」や「いつにも増して」と普段も素晴らしいことを伝えてみましょう。

いつも

あかぬけましたね。

一見褒め言葉のようですが、中には「前がひどかったってこと?」と不快に感じる人もいるので、注意が必要です。

好かれる

いちだんと素敵ですね。

「いちだんと」は前も良かったけど、「今はさらに良い」という意味で、言われて嫌な人はいない褒め言葉です。

いつも

イメチェンしたんですね!
髪型変わりましたね!

相手の変化に気づいたことを伝えるだけでもいいですが、褒め言葉を加えるとさらに喜ばれます。

好かれる

前の髪型も似合っていましたが、
今の髪型もとてもお似合いですね!

相手の変化に気づけたら、「前も」「今も」どちらも素敵だと伝えることを意識しましょう。

褒めの効果

褒めることで、相手は「この人は自分を好意的に感じている」と思って好意的に対応されやすくなります。これは、人間の持つ心理の一つで、「返報性の原理」といいます。相手の名前を呼ぶのも効果的です。

たくさん褒めると、自然と好かれる人になれる!

疑問形で
お世辞っぽさを消す

いつも

センスがいいですね。

好かれる

よくセンスいいって
言われませんか?

褒めるとお世辞に思われるかも、というときは疑問形で褒めてみて!
会話がつながり、心の距離も近づきやすくなります。

好かれる

○○ちゃんの優しい性格は
お母さん譲りじゃないですか？

友達の子どもの良いところを見つけたとき、親御さんもさりげなく
褒めてみましょう。

好かれる

いつも本当に頼りになるけど、
仕事抱えすぎてない？

さりげなく前半で褒めると、相手の聞く態勢が整い、相手が本心を
伝えやすくなります。

好かれる

なんでこんなに美味しい料理が作れるんですか？

あなたに興味・関心があり、深く知りたいことが、疑問文だとより
一層伝わります。

好かれる

○○さんのお話はいつもわかりやすいなと
思うのですが何を工夫されているんですか？

褒めるだけではなく、「自分も真似したい」ことを伝えると、会話が
自然と弾みます。

「○○やすい」で
褒め上手さんになろう

- 話しやすい
- 読みやすい
- わかりやすい

など「○○やすい」は
「使いやすい」ので覚えておこう！

良いところを
観察して伝える

 いつも

いつも素敵ですね。

好かれる

○○さんって、
いつお会いしても
姿勢がキレイですよね。

「素敵」「かっこいい」「かわいい」はすぐに出てくる言葉。褒めたいときは、どんな風に素敵なのか、あなたの思ったことをきちんと伝えることで、相手に自分の印象を残しやすくなります。

いつも

プレゼンお疲れ様。

相手をねぎらう言葉だけでもいいですが、印象に残りにくいです。

仕事

好かれる

夜遅くまで頑張ってたもんね、プレゼンお疲れ様。

ずっと見守ってくれていたことが伝わり、喜びと親近感がわきます。

好かれる

髪型変わりました？
雰囲気が大人っぽくなりましたね！

見た目は一番わかりやすいポイント。特に髪型は変化したあとの
雰囲気を伝えてみましょう。

好かれる

今日はいつにも増して楽しそうですね！
何かいいことありました？

良いことがあったとき、自分から自慢するのが恥ずかしいと思う人も。
嬉しそうな明るい表情をした人には、ぜひ声をかけてみましょう。

心に残る褒め言葉

- 君が担当でよかった
- ○○さんといると落ちつく
- あなたがいると周りが明るくなる
- ○○さんがいないと寂しい
- チームのムードメーカーだね
- 初めて会った気がしませんね

心に残るような
嬉しい言葉は
ぜひメモして！

相手の意外な一面を褒める

 いつも 意外に几帳面なんですね。

好かれる そのギャップずるいですよ!

「ずるい」は一見ネガティブワードですが、最近は「羨ましい」「素敵」のようなプラスの気持ちを表す言葉として使われています。伝えるときはかわいく冗談っぽく伝えるのがポイントです!

いつも

案外うまいんだね！

「案外」は予想が外れるという意味ですが、場合によっては
「期待してなかったけど」と、相手を見下している表現に聞こえます。

好かれる

すごい！　ベテランですね。

褒めるときは素直にシンプルに「すごい」「さすが」と伝えましょう。

いつも

変わった発想でいいね。

褒めたつもりでも「人とは違うね」と言われることにショックを受ける
人もいるので注意！

好かれる

ユニークな発想ですね！

「その発想はなかった」「ウィットに富んでいる」など感心したときの
褒め言葉は、汎用性が高く便利です。

「○○なのに」を使って褒めるのはNG！

- B型なのに
- まだ若いのに
- 男性なのに
- 女性なのに

**差別発言に
つながる
余計なひと言に
注意！**

意外であることを伝えたくても、
年齢や性別はイラッとさせる原因に！

上から目線に注意して褒める

 いつも 今日も良かったよ。

好かれる 今日も大活躍だったね。

褒めているつもりでも、言葉によっては、上から目線に聞こえることも。
褒めるときには、言葉に気をつけて！

なかなかいいこと言いますね。

上から評価するようなワードはイラッとさせる原因になるので気を
つけましょう。「素晴らしいアイデアですね」などと言いかえて！

 この味付け、悪くないね！

「悪くない」は評論家目線で偉そうに聞こえます。
「この味付け、好きだなぁ」とシンプルに伝えて！

 要領がいいね。

「要領がいいね」は上手に立ち回っているというニュアンスもあり、
皮肉だと捉える人も。褒められた気がしないこともあります。

好か
れる　もう終わったの?!
仕事の早さを見習わないと！

驚きを入れることで、予想以上の結果だったことが伝わります。
その後、褒め言葉を伝えてみて！

「上から目線」は自分事化で解決できる

× おわかりいただけましたか？
○ 説明不足の点はございませんか？

確認のフレーズですが、（あなたは）
わかったの？　と聞くより（私の）
説明にわかりにくいところは？　と
自分事化して伝えるとgood！

これだけでも
印象が
大きく変わる！

褒める視点はいろいろ

いつも

そのカバンいいね!

好かれる

そのカバンを選ぶ
〇〇さんのセンスは
さすがですね!

持ち物を褒めるときはそのモノだけでなく、センスについて褒めると◎

素敵なカバンを選ぶ山本先輩のセンスが素晴らしいです!

そのカバン素敵!

好かれる

毎日コツコツ続けられるのはすごい才能ですよね！

その人が当たり前にしている行動に注目して褒めてみましょう。

好かれる

それ、私も好きです！

自分の感情である「好き」は響きやすい言葉です。価値観が一緒であることも伝えられるので好印象です。

好かれる

一見派手に見えちゃいそうな時計だけど、〇〇さんが着けると上品に見えますね！

ギャップ褒めをするときは、最後にポジティブな褒め言葉を入れると相手の印象に残ります。

好かれる

〇〇さんの考え方は目の付け所が違いますね！

考え方や価値観を褒めると、外見ではなく中身を見ていることが伝わります。

褒めるところが思いつかなければ

「予想褒め」をしてみましょう！
- 優しそうなお子さんですね
- お話が上手そう
- スポーツが得意そう
- 頼りになりそう

「〇〇そう」で褒め幅はぐんっと広がる！

変化球で褒める

いつも

（本人に直接）
いつもメール文が丁寧ですね

好かれる

（第三者に）○○さんの
いつもメール文が丁寧なところ
尊敬しちゃうな。

その場にいない人を褒めると、その場にいない人の株も上がるとともに、
あなたが「人の良いところを見つけられる人」になれるので好印象です。

好かれる

先日のプレゼンお客様も喜んでくれてたよ。
ぜひまたお願いしたいな。

第三者が褒めていたことを伝えてみましょう。誰からどんなことを
言われたのか具体的に伝えると相手も喜んでくれるはずです。

好かれる

〇〇さんがいると場が和みますよね。

その人の人柄や存在感について褒めて共感を促してみましょう。

好かれる

〇〇さんの説明ってわかりやすいよね。
あとで一緒にコツを聞きにいかない？

第三者の良いところを共有して、さらに自分だけでなく周りの人も
成長できるチャンスをつくるフレーズです。

好かれる

こんな素敵な人いるんだなぁ〜

ぼそっと独り言のようにして言うと、本音として伝わります。

本心を伝えたいときの「独り言の魔法」

直接「いいですね」「素敵」と伝える
と、社交辞令に受け取られることも。
本心で伝えたいときには、会話のあと
に独り言を言ってみて。
例：「こんな気配りが素敵な人がいる
んだぁ」

独り言の方が
気持ちが
伝わる！

褒められたら、
相手を褒め返す

いつも　いやいや、それほどでも。

好かれる　○○さんを
お手本にしているおかげです。

褒めてくれた相手が嬉しくなる褒め返しをすると、良い空気が流れ会話も
弾みます。謙遜すると、かえって相手に気を使わせるので気をつけよう!

好かれる

メイクの変化に気づいてくれたのは〇〇さんだけですよ。

「あなただけ」と限定すると、特別感が伝わります。名前で呼ぶとさらに効果的です。

好かれる

〇〇さんには到底及びませんよ!

謙遜したいときは、「いやいや」と否定するのではなく、「相手を持ち上げる」やり方がおすすめです。

好かれる

心配りが素敵な〇〇さんに褒めてもらえて嬉しい。

褒められた内容をそのまま褒め返すのもgood!

好かれる

〇〇さんのアドバイスどおり行った結果です!

褒められることに慣れておらず、恥ずかしいときにも使える便利なフレーズです。

視点を変えて短所を長所に

一見短所だと思っていたものも視点を変えれば長所になる。

- 飽きっぽい
  ⇒多趣味、好奇心旺盛
- 八方美人
  ⇒誰とでも仲良くなれる
- 心配性 ⇒気を配れる
- 計画性がない
  ⇒臨機応変に対応できる
- 口下手 ⇒聞き上手

褒められたら、ユーモアで返す

いつも

髪型素敵ですね！　と言われたら

ありがとうございます！

好かれる

髪型素敵ですね！　と言われたら

顔も良ければ
モテるんですけどね！（笑）

褒められると恥ずかしくて、なかなか謙遜をやめられない人は、ユーモアで返すと、照れ隠しになります。

好かれる

仕事が早いですねと言われたら
帰って寝るのはもっと早いですよ。
同じ「早いもの」を意識した内容で返すとユーモア回答に◎

好かれる

字が美しいですねと言われたら
ボールペン字講座歴30年なんです。
自分と同じ年齢で伝えたり、まるで修業してきたかのように数字を入れるとユーモア回答に◎

好かれる

聞きやすい声ですよねと言われたら
毎日お酒で喉を消毒していますので（笑）
消毒するアルコールとお酒のアルコールをかけて伝えるとユーモア回答に◎

好かれる

モテるでしょと言われたら
そうなんです。知らない人に道はよく聞かれます。
異性にモテるではなく、子どもやイヌ・ネコにモテるなどでも使えます！

相手が失敗したときのユーモアフォロー

寝坊して遅刻⇒お布団が放してくれなかったんですね！
LINEの誤送信⇒国家機密情報じゃなくてよかったね！
転びかけた⇒走り幅跳びのステップかと思ったよ！

失敗も
ユーモアで
フォローすると
場が和みます

自分を変える一番の近道は
言葉を変えること

第 **4** 章

注意・フォロー
の言いかえ

責めたい気持ちは
グッとこらえて

 いつも そんなこともわからないの？

好かれる これ、ややこしいよね。

小馬鹿にしているように感じる言葉を使うと、軽い気持ちで言っていたとしても、人間関係にヒビが入ってしまう恐れがあります。「私も知らなかったんだけど」と過去の自分をさらけ出して伝えると、親しみが増していいでしょう。

これ間違っていますよ。

「間違い」と伝えると、責められていると感じたり、恥ずかしいと感じたり
する人もいるので、ストレートな伝え方は避けた方がいいでしょう。

好か
れる
ここの修正をお願いできますか。

「間違い」を「修正」に変えて伝えることでやってほしい行動に目を
向けさせることができます。

好か
れる
落とし穴にハマっちゃったね。

相手を責めるのではなく、「落とし穴もたまにはあるよね」とフォロー
するやり方もあります。

好か
れる
大変僭越（せんえつ）ながら、疑問点を記入しております。

クッション言葉を使うことで、謙虚で丁寧な言い回しになります。
また、間違いだと決めつけず、「疑問点」として伝えてみましょう。

「まだ？」という言葉

「まだ？」という言葉には、あなたは
遅いという意味が含まれています。
相手が責められていると感じやすい
ため、「進捗はいかがですか？」と
確認の言葉に言いかえてみて！

まだ？は
相手を責める
ように聞こえる
のでNG！

73

否定ではなく、具体的なアドバイスを

いつも
全然ダメ。

好かれる
ここを直せば良くなりそう。

「全然ダメ」は強めの否定言葉。印象として「ダメ」が残りやすいため相手を傷つけてしまう可能性も。どうすれば良い方向に進むのか伝えてみて。

いつも こんなこと言いたくないんだけど…

「言いたくないことを言わせてしまうのか…怒られる」と相手が
身構えてしまうフレーズです。

好かれる 気になっているから、伝えておくね!

言いたくないことを言わせてしまうプレッシャーで相手が身構えて
しまうことも。「気になる」という表現で、柔らかく伝えてみましょう。

いつも こうやってよ!

命令ともとれる、自分のルールを押し付けるような言葉はNG!

好かれる こうすると効率良くなるよ!

それぞれのやり方・方法・ペースがある中で強制的なやり方の指示
は圧迫させてしまいます。より良い方法を教える伝え方をしましょう。

あいまい表現はモヤッとさせる

× 追って連絡します
⇒ ○ 明日の午前中にご連絡いたします

× 結構です
⇒ ○ お願いします
⇒ ○ 遠慮しておきます

**具体的に伝えると
誤解が
生まれない!**

考えるように促す

やり直して。

好かれる

さらに良くするには
どうしたらいいと思う?

やり直してほしいときも「もっと良くなる可能性を秘めている」ことを伝えて
指摘しよう!

いつも それぐらい自分で考えなよ。

本当に困っていても助けてもらえない突き放した言い方なのでNG。

好かれる ここで考えると成長できるから、一人で考えてみない？

成長のために促していることを伝えると◎

いつも なんだかビミョーなんだよね。

「それはない」や「ビミョー」など受け入れない言葉は相手を傷つけやすいのでNG。

好かれる 欲を言えば、もうひと工夫できそう。考えてみて。

全体的にはOKだけど、より良いものにするために「あと少し」であることを伝えることで、相手のモチベーションを下げずに済みます。

内容が良いものはしっかり褒めて

× それでいいんじゃない
⇒ ○ とてもいいと思うよ
妥協に聞こえる前者のフレーズは
モヤモヤさせてしまいます。
良い内容に対しては「良かった」
ことを伝えましょう！

一緒に原因を考える

いつも

なんで
こんなこともできないの？

好かれる

止まっている原因って
なんですか？

「どうして、あなたはできないの？」と人格を責めるフレーズになるので、
進んでいない原因・理由があるのかを聞いてみると◎

いつも

マジメにやってる？

仕事がうまくいかないのは、努力不足だと決めつけて相手を責める
ような言い方はNGです。

好かれる

仕事が遅れているみたいだけど、何か困ってる？

ただ相手を責めるだけでは物事は好転しません。原因を探る声掛け
は相手も相談しやすくなります。

いつも

なんで言ってくれなかったの？

相手を責めるような言い方では、ますます相談してもらえなくなって
しまいます。

好かれる

迷ったときに相談してほしかったな、
次から相談してね！

納期遅れやミスなどが発覚したときに、自分に相談してもらい
たかった旨を伝えましょう。

不安を感じているかも！

作業が止まっている、進んでいない
理由は、相手が不安を抱えている
からかもしれません。そんなときには
「何か不安に感じている部分はあ
る？」と聞いてみましょう。

頑張りを強要しない

いつも　やりなよ。

好かれる　もったいないな〜

人から言われるとやる気を削いでしまうことも。個人の意見として伝えてみて。

いつも

こうするべきでしょ。

「するべき」という言い方は正義感の押しつけです。「もっと頑張った方がいいよ！」という決めつける言い方もNGです。

好か
れる

こうしたらどう？

押しつけがましくならないようにアドバイスの形で伝えるのがおすすめです。

好か
れる

ここまで頑張ってきた姿を見てるから、諦めるなんてもったいないって思うよ。

ずっと見守ってきたときに伝えると相手に沁みるフレーズです。

好か
れる

いいところまできてるんじゃない？

現状を認めてあげる言葉をかけるとgood！

「こうあるべき」という言葉

常識にとらわれて
完璧主義になっていませんか？
それでは、必要以上に自分にも
相手にもプレッシャーをかけ、
がんじがらめになってしまいます。
柔軟に考える癖をつけると、
心がラクになりますよ！

「するべき」は
相手を苦しめる
言葉なので
要注意！

パートナーに不満があるとき

いつも　なんでこんなに遅いの！

好かれる

遅かったね！
心配したよ。

あなたが主語のyouメッセージではなく、私が主語のiメッセージで伝えると、相手が責められる印象が薄くなります。

もう出しっぱなしにしないでよ!

やってほしくないことを伝えても、相手はどうすればいいかわからないため、同じことをくり返す可能性があります。

もとの位置に戻す習慣をつけてくれると助かるな。

指摘するときは、やってほしいこと＋感情を乗せて伝えると◎

早くやってくれない?!

自分の想像するペースと相手のペースは異なると理解しましょう。早く動いてほしいときは締め切りを伝えると◎

〇時までにできそう?今日中に終えてくれたら嬉しい!

命令になってしまう言葉を言われると相手は動きにくいもの。頼み事を確認するときは相手のペースの確認とこちら側の希望を伝えて!

夫婦の会話で気をつけたいこと

「言葉にしなくてもわかってもらえるはず」と思っていませんか?
夫婦といえど、性格も育った環境も置かれている状況も違います。
気軽に話せる仲だからこそ相手のことを思いやる言葉で伝えましょう!

「察して」は
通用しない!

ずるい言葉を使わない

 あなたのためを
思って言ってるのよ。

好かれる　私はこう思うんだけど、どう？

相手のための発言だとしても、それは相手が望んでいることではないかも
しれません。自分の意見として伝えてみて！

みんなそう思っているよ。

「みんな」や「一般的」「常識」のようなあいまいな言葉で伝える
のはNGです。

好か
れる

個人的な意見なんだけど…

意見を伝えるときには、個人としての意見として伝えましょう。

いっつもスマホゲームばっかり！

相手を責める言葉では、その後の空気も悪くしてしまいます。

好か
れる

そろそろお話もしたいな。

責める言葉ではなく、望んでいることを伝える言葉に言いかえること
で、空気を悪くすることなく、相手に気づいてもらいましょう。

極端語を使っていませんか？

「いつも」「まったく」「ばっかり」
「ちっとも」「みんな」「君だけ」など
極端に表現し、決めつけるような
言葉は避けましょう。

「いつも
同じミスするよね」
なんて言わない！

チクチク言葉を使わない

 いつも

何度言ったらわかるの？

好かれる

どうしたらできると思う？

何度も同じ注意をするのも、注意を受ける方も辛くなります。「〜しないで」とやめてほしいことを伝えても、その言葉の印象だけが残ります。できる方法を相手と一緒に考える言葉で伝えましょう。

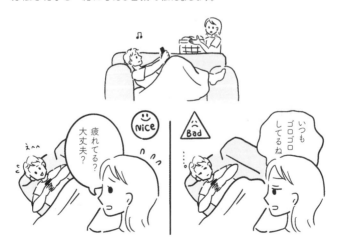

第 **5** 章

励ましの
言いかえ

元気がなさそうな人への
声かけ

いつも

大丈夫？

好か
れる

最近口数が少ないから
気になっちゃった。
何かあった？

中には話したくない人もいるので、「私が気になっている」「気にかけて
いる」という前置きを忘れずに。

好かれる

少し話さない？　最近話してないなと思って。

相手が話しやすいように環境を作ってあげる、さりげない気遣い
フレーズです。

好かれる

何か私にできることがあったら言ってね。

あえて元気がなさそうなことには触れずに、いつでも頼っていいこと
を伝えておくと相手に安心感を与えられます。

好かれる

あれ？　いつもの〇〇さんらしくないように
見えるけど何かあった？

いつも見守っていることをさりげなく伝えることができるのと、いつも
と違う様子に気づいているよ、という気配りが伝わるフレーズです。

好かれる

コーヒーでも飲んでゆっくりしませんか？

ひと息つけるよう提案して、落ち着く時間を作ってあげられると◎

相手がプレッシャーに感じてしまう
NGフレーズ

クヨクヨしてる時間がもったいないよ
やる気がないならやめたら
そんなことで悩んでいるの？
相手の立場や気持ちを考えられない
自分本位の言葉は、相手を余計に
傷つけてしまいます。

NGフレーズを
言ってないか
要チェック！

寄り添うことが大切

いつも
> そうなんだ～。

好かれる
大変だったね。辛かったね。

相談に乗るときは、どう答えていいか迷ってしまい、かえってそっけない返事になっていることもあるかもしれません。話を聞く際は相手の立場に立って寄り添う言葉をいくつか持っておくとベストです。

好かれる

何かできることがあれば言ってね。

「あなたは一人じゃないからね」といつでも頼っていいことを伝える
フレーズです。

好かれる

無理だけはしないでね。

頑張りすぎて力んでしまう人には、肩の力が抜けるような声かけが
おすすめ。気持ちを軽くさせてあげましょう。

好かれる

今まで、頑張ってきたんだね。

長い視点でここまでの苦労をねぎらう言葉を伝えましょう。

好かれる

本当にお疲れ様！

どんな結果であれ、終わったタイミングで伝えたい励ましの言葉
です。「本当に」をつけることで深みが増します。

相談されたらどうする？

本当に困っている相談ほど、信頼できる人にしかで
きないもの。もし、大切な人から相談されたら、「大
切なことの相談相手に選んでくれてありがとう」
「打ち明けてくれてありがとう」「相談してくれて嬉
しかった」と、感謝や感情の言葉を伝えましょう。

本音を言いやすいアシスト

後悔するよ!

好かれる　**大丈夫？　後悔しない？**

諦めそうな人を見ると「後悔するよ!」と思わず背中を押したくなるもの。
それでは相手は本音を言い出しにくいかもしれません。「後悔しない?」
など相手の本音を引き出すアシストを意識して、言葉をかけてあげましょう。

92

いつも

いいからやってみなよ？

躊躇している相手に対して、無理やり背中を押すのはNGです。

好か
れる

迷っている理由は何かあるの？

チャレンジしたいことに躊躇しているときには、その理由を聞いて
みましょう。話すうちに不安が解消されることもあります。

いつも

○○さんなら絶対大丈夫だよ。

「絶対」など根拠のない励ましはときにプレッシャーを与え、軽んじて
いるように捉えられてしまいます。

好か
れる

○○さんのペースでやってみたらいいよ！

相手に安心感を与える励まし方です。

本音で話したくなる聞き上手さんとは

聞き上手さんは、この3つを意識し
ています！
　話をさえぎらない
　自分の話にすり替えない
　言葉を受け止める
　（肯定する・オウム返し）

会話泥棒は
多いので
要注意！

気分転換になることに誘う

いつも

クヨクヨするなよ!

好かれる

大変だったね。
よし！　切り替えるために
好きなことしよう！　何が好き?

落ち込んでいる相手に、その状況を伝えても切り替わりません。励ましたい場合は今の気持ちから少しでも離れられるように相手の好きなことに付き合ってみましょう。

好か れる

ちょっと外の空気を吸いに
散歩しに行かない?

環境を変える提案で、ゆっくり話しやすい場所に連れ出すことも効果的です。

好か れる

気になっている話題の映画があるんだけど、
行かない?

こちらが気になっているものに誘ってみてもいいかもしれません。

好か れる

イタリアンと中華だったらどっちが食べたい?

相談に対して良いアドバイスをすること以外にも、美味しいものを一緒に食べに行くだけで、相手の力になれることはあります。

好か れる

私が淹れる美味しいコーヒーはいかが?

ホッとひと息つけるような休憩を促してみるのも、一つのやり方です。

落ち込んでいる人に
言ってはいけないNGワード

- 切り替えていこう!(だけ言う)
- なんか悩みすぎじゃない?
- なんとかなるって
- 辛いなら休めばいいんじゃん

**軽はずみな
言葉は
相手に失礼!**

新生活を始める相手へ

いつも　　新生活頑張ってね！

好かれる　　新生活も楽しんでね！

新しい環境になじむまでは不安を感じやすい、「頑張って」はプレッシャーになる人もいるので、楽しむことを伝えましょう。

好かれる

あなたなら大丈夫!　ずっと応援してるよ。

ずっとそばで見守っていた人から伝えられると嬉しい言葉です。

親しい人

好かれる

落ち着いたら遊びに行かせてね!

仲のいい間柄なら「また会おうね」の代わりに楽しみを作る言葉を
伝えてみましょう。

好かれる

困ったときはいつでも相談に乗るからね!

いつでもあなたの居場所があることを伝える言葉です。

好かれる

これからも〇〇さんらしく新天地でのご活躍
を応援しています。

転職など大きく環境が変わる場合の応援フレーズとして覚えておき
ましょう。

句読点をつけないのが正式なマナー

引っ越しや結婚などのお祝いで贈るメッセージには、
「句読点をつけない」という昔からの習慣があります。
句読点を使わない場合は、代わりに空白や改行を
用いて、読みやすい文章にしましょう。
現在ではそれを気にしない方も多いため、句読点を
つけたとしても必ずしもマナー違反とはなりません。

言葉はあなたを映す鏡。
言葉があなた自身になる。
言葉を変えるとあなたも変わる。

第 **6** 章

お願いの
言いかえ

丁寧にお願いする

 いつも

お願いします。

好かれる お手数をおかけしますが、
何卒宜しくお願いいたします。

お願いするときはクッション言葉を入れて柔らかく、丁寧に伝えるのが◎

好かれる

お忙しいところ大変恐れ入りますが…

ビジネスシーンで定番のフレーズです。あるとないとでは大きく印象が変わります。

好かれる

～をお願いしてもよろしいでしょうか。

最後を疑問文にすることでお願いを柔らかく伝えられます。

好かれる

～をお願いできますと大変助かります。

自分の感情を最後につけ足してお願いする便利なフレーズです。

好かれる

お手すきの際にご返信いただけますと幸いです。

連絡を楽しみに待っていることを伝える言葉です。

「幸いです」という表現

「幸いです」は、ビジネスシーンでもよく登場するフレーズで、「～していただけるとありがたい」という意味で使われます。

「お願いいたします」と直接的に表現するよりも言い方を少し和らげられるため、相手に何かを依頼するときによく使う言葉です。

プレッシャーを
与えすぎず、
要望を伝えたい
ときに便利

一方的な態度はNG

いつも
なんとかなりませんか？

好かれる
〇〇について
ご相談に乗っていただけると
助かります。

「なんとかなりませんか」は自己都合の言葉。お願いの際は丁寧に腰を
低く伝えると◎

次回の会議
の議事録の件、
ご相談に乗って
いただけ
ますか

OK!

会議の
議事録
なんとか
できませんか

？？

え？

好かれる

ご面倒をおかけして大変恐縮ですが…

相手へ面倒をかけることに申し訳ない気持ちを表す枕詞です。
目上の方にも使える表現です。

好かれる

差し支えなければお願いいたします。

「不都合がなければ、○○してほしい」という意味です。相手に選択
の余地を与えて丁寧に申し入れする際に適切な表現です。

いつも

ちょっと話聞いてくれない？

夫婦など親しい仲でこのフレーズを使うと、自己都合の相談をされ
そうで相手が身構えてしまうかもしれません。

親しい人に

好かれる

一緒に考えたいことがあるんだけど…

「一緒に」を付け加えることでこちらの都合だけでないことを伝え
られます。

反論・否定的な人に対して

いつも否定的で反論ばかりする人に正義感を振り
かざしてはいませんか？
貴重な意見として、「感謝の言葉」を伝えましょう。
×否定的にばかり見るのはやめなよ
○そういう考え方もあるんだね。貴重な意見を
　教えてくれてありがとう！

相手を立ててお願いする

お願いできませんか？

〇〇さんだからこそ
ぜひお願いしたいのですが…

なぜ相手に頼みたいのか、理由を伝えてお願いすると丁寧です。

好かれる

いつも仕事が丁寧な〇〇さんに頼みたくて…

相手を褒めながら、お願いする言い回しです。

**取引先や
上司**

好かれる

お願いできたら心強いです。

「あなたを頼りにしている」と伝えるフレーズです。

好かれる

〇〇さんになら安心して任せられます。

相手を信じていることを伝える表現です。

好かれる

△△についてお詳しい〇〇さんにぜひ、
教えていただきたいのですが…

相手の得意な分野に頼りたいときなどに使いたいフレーズです。

お願いのときに気をつけたい3つのこと

お願いするときほど丁寧に伝えると誤解なく相手に伝えることができます！
① 具体的に伝える　（数字を伝える）
② 理由を伝える　　（なぜ依頼しているのか）
③ 確認する　　　　（相手に伝わっているか）

相手のやる気を引き出す

 いつも

そんな恰好で
出歩かないで！

好かれる

こういう服を着ると
素敵だよ。

やってほしくないことを伝えても相手は解決策がわからないため、
やってほしいことを伝えよう！

いつも

今忙しいからお願いしたい。

「私」中心の言葉は身勝手に聞こえることも。相手により気持ちよく引き受けてもらえるよう、工夫を加えてみましょう。

好かれる

仕事がどんどん早くなっているよね。

「〜なっている」という現在進行形の褒め言葉は、今だけではなく未来への期待も含むことができます。

好かれる

頼ってもいいですか？

「お願い」と言われるより、「力になりたい」気持ちになる言葉です。

好かれる

これを頼めるのは〇〇さんしかいないんです…

誰でもいいわけではなく、唯一無二の「あなたしかいない」という特別感が出ます。

自分でやる気を出す方法

- 作業をする場所を変える
- 好きな音楽を聴いたり動画を見たりしてリフレッシュする
- 目標を達成したあとのご褒美を用意しておく
- マッサージやストレッチをする

自分の機嫌は
自分で取ろう

お願いするときは
数も伝える

少しよろしいですか？

（好かれる）

〇分ほど
お時間よろしいですか？

どれくらいの時間がかかる相談なのか目安を伝えておくと、聞く態勢を
整えてもらいやすいです。

いつも

少し早めに会議を始めさせていただいても よろしいでしょうか。

早めとはどのくらいなのか人によって解釈が変わるのでNGです。

好かれる

10分早めに会議を始めてもよろしいですか?

明確に始まる時間がわかるときは数字を必ず伝えると◎

いつも

お手すきの際にお願いします。

「手が空いたときに」がいつ来るのか人によってわからないので 期日があるときはNGです。

好かれる

○日までにいただけると助かります。

締め切りがあるときはしっかり伝えるようにしましょう。

あいまいな表現は避けましょう

だいぶ	とても	しっかり
すごく	もっと	ちゃんと
たくさん	かなり	しばらく
非常に	少し	まあまあ
そのうちに	すぐに	なるべく

あいまいな言葉は 勘違いを生むので 要注意!

第6章　お願いの言いかえ

アドバイスを聞きたいとき

いつも どうすればいいですか?

好かれる このように
考えてみたのですが、
いかがでしょうか。

指示待ちの人と思われないよう、一度自分で考えたことを伝えると◎
「提案書作成に際し、お力添えいただきたく存じます」などと、あなたの
力が必要であることを丁寧に伝えてみるのもいいでしょう。

好か
れる

調べてみたのですが、ここだけわからなくて…

調べていることを伝えてから、質問すると◎

好か
れる

ヒントをいただけませんか。

答えではなく「ヒント」が欲しいと伝えましょう。

好か
れる

最終チェックをお願いできますか？

「最終」と伝えることで最後まで取り組んだことが伝えられます。
仕上げの確認であることを伝えて、フィードバックをもらいましょう。

好か
れる

理解が足りず申し訳ありません。
再度ご教示いただけませんか。

どうしてもわからないときは素直に伝えて聞いてみましょう。

上司からアドバイスをもらいたいときの
適切な4つの言葉

ご助言 … 具体的な意見が欲しいときに使う言葉
ご教示 … 簡単なオペレーションや手続きなどに
　　　　　ついて教わるときに使う言葉
ご教授 … 知識や技術を教えてもらうときの言葉
ご指導 … 目標に向かって導いてもらう際の言葉

催促は相手への配慮を忘れない

いつも

○○はまだですか?

好かれる

行き違いでしたら
申し訳ございませんが、
その後○○はいかがですか?

「まだ?」は相手を責める言葉!　進捗を確認する際はクッション言葉も
入れて確認をしましょう。

好かれる

こちらが見落としておりましたら、申し訳ございませんが…

こちらが原因かもしれないと言いつつ確認する言葉です。

好かれる

急かすようで申し訳ございませんが…

催促など言いにくいことを伝えるときは、申し訳ない気持ちを併せて伝えることで、丁寧な印象になります。

好かれる

恐れ入りますが、この作業を〇日までにお願いできますか?

具体的なお願いも相手への配慮につながります。

好かれる

期日が迫ってまいりました。

リマインドとして締め切り前に伝えると相手のうっかりを防ぐことができるので、効果的です。

相手が不快にならない催促のコツ

- 丁寧な言葉を使う
- 具体的な締め切りを提案する
- ストレートな表現は避ける
- 相手への配慮を忘れない
- リマインドをする

催促上手さんになってスムーズに進めよう!

目上の方をお誘いする

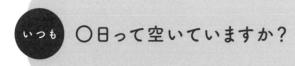

いつも ○日って空いていますか？

好かれる

○○さんを
いきなりお誘いするのは
失礼かと存じますが…

目上の方を誘う際は、いきなり日程を聞くより、丁寧なクッション言葉を
入れてから確認するようにしましょう。

好かれる

もしよろしければ、このあと部署メンバーと
お食事にいきませんか？

「もしよろしければ」と許可を得る言葉で伝えると、自然な流れで
お誘いすることができます。

好かれる

こちらからお誘いするのは失礼かと思いますが、日頃お世話になっていますのでお食事を
ご一緒にいかがでしょうか。

いきなり誘わず、クッション言葉から入ることで、丁寧な印象になります。素直に理由を伝えて聞いてみるのもいいでしょう。

好かれる

お引き立てくださる〇〇様をお招きし、少し
遅い新年会を兼ねた場を設けさせていただき
たく存じます。

交流を深めたいときなどに使えるフレーズです。

お店選びのチェックポイント

- 先にアレルギーや好き嫌いを確認
- 先方の会社や自宅から遠くないか
- 閉店時間は早すぎないか
- サービスに定評のある店か
- 個室の有無
- 騒がしくないか
- ゲストが好きなお酒の種類は豊富か

気遣い
上手さんの
幹事のコツ

「貸したアレを返して！」何て言う？

つみきちのフォロワー13万人超にお題の言いかえを考えてもらいました！

丁寧に聞く 確認したいのですが、先日お貸しした物があると思うのですが、いつ頃、返して頂けますか？／すみませんが、この前お貸しした本が必要になったので、一旦返していただいてもよいですか？／私の記憶違いかもしれないけど、アレ、まだあなたのところにあるよね…？／ごめんね、明日急に必要になったんだ。今どこにあるのかな？／そう言えばたまたま思い出したんですが、○○はいつ頃私の所へ戻りそうですか？

帰りを待っていまして ユーモア 貸した本の結末が思い出せなくて、夜も眠れないので返却をお願いします♡／お財布がだいぶ涼しくなってるから、元あったお金たち帰ってきてほしいんだけど、助けてくれない？笑／あれー？ ○○って○○さんの所に旅行に来てないかしら？／どら焼きつけて返してください♡／そちらにお泊まり中なものあるかな？／そろそろホームシックになる頃だから返してもらってもいい？／この前貸したアイテムの帰還を待ってるんだ。戻してやってくれないか？／そういえば、○○が家出中でちょっと困ってて行きそうな場所知ってる？／貸したアレの滞納金100億万円になってるけど…これ以上滞納金増えても大丈夫？／返却期間の延長ですか？延長料は〜／私の宝物大事に預かってくれていてありがとう♡ **忘れている** 来週使おうと思って探したんだけど無くて！貸したままだったっけ？／最近、物忘れがひどくってそういえば私 **アレ貸してなかったっけ？**／手帳に「これ貸した」って書いてあるんだけど…わたし貸してる？と記憶ないふりをして聞く／そういえば、○○さんに○○円貸したのって、いつ頃でしたっけ？／最近たまたま、ネットで○○見かけてさ、久しぶりに見たいなぁ〜と思ったんだけど、そういえば貸してなかったっけ？／この間掃除してたらないことに気づいたんだけど、まだ貸してたっけ？／アレ無くしたかもで困ってるんだけど知らない？ **次がいるパターン** この間貸した○○、友達に貸すことになったから次会ったとき返してくれると助かる！／そういえば、アレ、どうだった？！面白そうだから先輩が次、貸してほしいと楽しみにしているみたいで何度か急かされてるんだよね♪ **自分が欲しい** 前に貸した本、読み終わったかな？私、また読みたくなったんだよね…／前、買い物で支払うときに○円（貸した金額）足りなくてあきらめてしまったことがあるんだ。だから返してもらえると買えるから助かるんだけどどうかな？／今月少しピンチになっちゃって…。もし可能であれば、この間貸したお金の一部でも良いから返してもらえると今月乗り切れそう。 **期限を決めるパターン** 先日お貸しした金額、○日までに返金して頂けると助かります／急に物入りになっちゃって明日受け取りに行っていい？／そう言えば先日貸してた物なんだけど○日に必要なので○日までに返してね！／そろそろ、返却期限が切れます **感想を聞く** この間貸した あれ、役に立った？／前に貸した金額で足りた？と聞いてみる／貸してたアレ役にたったかな？まだ使ってる？

第 **7** 章

お断りの
言いかえ

クッション言葉を使う

無理です。

好かれる 大変ありがたいお話ですが…

「無理」という言葉は否定が強いネガティブワード。ここはクッション言葉で柔らかく伝えてみましょう。

身に余る光栄なお話ではありますが…

好かれる

自分の立場や実績以上に評価された際に、謙遜する丁寧な言い回しです。

誠に心苦しいのですが…

好かれる

断ってしまうことを大変残念に思う気持ちが伝えられます。

私の力不足で申し訳ございませんが…

好かれる

自信がないときや謙虚に伝えたいときの定番フレーズです。

あいにくですが、その日は折り合いがつきません。

好かれる

クッション言葉を入れつつ、軽くお断りしたいときに使えます。

まだまだある「お断り」のクッション言葉

- 大変ありがたいお話ですが…
- 大変魅力的なお話ではあるのですが…
- 誠に残念ですが…
- 検討を重ねましたが…
- 大変申し上げにくいのですが…
- 不本意ではございますが…
- お役に立てず大変恐縮ですが…
- ご期待に沿えず申し訳ございませんが…

いろいろな「お断り」

いつも

いりません。

好かれる

お気持ちだけ頂戴します。

必要のないものだとしても相手の厚意を傷つけないように伝えましょう。

好か
れる

私にはもったいないです。

謙遜しつつ、やんわり断りたいときに使えるフレーズです。

好か
れる

ご遠慮申し上げます。

きっぱり断りたいときに使えるフレーズです。

好か
れる

お受けいたしかねます。

「〜しかねます」は「しようと思っても難しい」というへりくだった丁寧
な言葉です。

好か
れる

今回は見送らせてください。

「今回は」をつけることで次回の可能性を伝えることができます。

お断りと併せて使う言葉

ご理解いただければと存じます
ご容赦ください
断腸の思いです
どうか事情をお汲み取りいただ
けますと幸いです

お誘いを断るとき

 いつも 　　　行けません。

 好かれる 行けなくてすごく残念です。

断ることで、相手が「嫌われてる?」「避けられてる?」と感じてしまうことも
あるので、注意が必要です。断る際は、残念に思っている感情を乗せて
伝えると◎

好かれる

参加できませんが、お誘い嬉しいです。

誘ってもらった事実に感情を乗せると◎

好かれる

次は私からも誘わせてね。

打ち解けたい相手に対しては、積極的な姿勢を見せましょう。

好かれる

都合がつかず申し訳ございません。

理由と謝罪できちんと伝える丁寧な言い回しです。

好かれる

今週は難しいんだけど、来週なら行けますよ。

ただ断るだけではなく、代替案もセットにして相手に伝えると断る
ニュアンスが弱まります。

断るときはあいまいにしない、
この言葉はNG!

- まだわからなくて…
- 行けたら行きます。
- 厳しいかもしれません。
- できれば行きたいのですが…
- 結構です。

出席・欠席は
はっきりと
伝えよう!

123

「断るだけ」にしない

いつも やらないとダメでしょうか。

好_かれる

少し考える時間を
いただけますか？

すぐに断ると失礼な印象を持たれるかもしれません。初めから断るつもり
でも、一度持ち帰るというパフォーマンスがときには必要です。

好かれる

確認してすぐご連絡いたしますね。

すぐわからないときは後日連絡することを伝えると◎

好かれる

この埋め合わせは必ずさせてね！

このあと他のもので補ってくれるんだなと力強く伝わります。

好かれる

今回は行けないけど〇〇さんにもまた今度と伝えといてください。

他のメンバーがいるときは、その方にも謝罪を伝えてもらうと好印象！

好かれる

自分が誘うときは
難しい場合は、断っていただいて大丈夫です！

自分が誘うときは断りやすい雰囲気を作りましょう。このひと言があるだけで相手の気持ちが軽くなります。

印象のいい断り方とは？

誘ってもらった感謝を伝える
断りのフレーズ
次回は参加したい旨を伝える

例：お誘いいただき嬉しいです。あいにく予定があり参加できませんが、次回楽しみにしております。

苦手なものを勧められたら

いつも 甘いものは大丈夫です。

好かれる ごめんなさい。
〇〇は、ちょっと
苦手なもので…

「大丈夫です」とつい言いがちですが、文脈次第で肯定とも否定とも受け
とれるあいまい表現のため、素直に苦手であることを伝えましょう。

いつも

運動は苦手なので無理です。

自信がないものを「無理」と伝えると否定を超えて拒否になるので
注意が必要です。

好かれる

実は運動が苦手なんですが、私にもできますか？

苦手なものであっても克服したい、チャレンジしたいと前向きな姿勢
があると会話が弾みます。

好かれる

お恥ずかしながら〇〇は得意ではないんです。

「苦手」はネガティブワードなので、「得意ではない」と言いかえ
ましょう。

好かれる

実は今ダイエット中でして、甘いものを控えて
います。お気持ちだけ頂戴します。

理由を伝えて「お気持ちだけ頂戴する」とひと言付け加えると丁寧
です。

入れ替えるだけで印象が変わる

ネガティブな気持ちも最後にポジティ
ブな言葉を持ってくるだけで印象が
大きく変わります。
例：やりがいはあるけど大変なんだよ
⇒ 大変だけどやりがいあるんだよね。

ネガティブ
→ポジティブの
順番が大事

お酒をうまく断りたい

 いつも

お酒は飲めません。

好かれる

あいにく今日は
駅から愛車に乗って
帰らなきゃいけないんです。

運転を口実に伝えるのが無難ですが、ときに場を盛り下げないように
ユーモアで返答もしてみましょう。

好か　れる

お茶のロックで！

ソフトドリンクも「ロック」と伝えられれば印象が変わります。

好か　れる

すみません。お酒が飲めない体質なので、私の分まで飲んでくださいね！

「私の分までお願い」と伝えることで、盛り下がらないでねと気遣いの言葉をかけましょう。

好か　れる

実は禁酒100日チャレンジ中で、半分までできたので頑張りたいんです。

ダイエットなどの理由がある場合は経過を伝えてみましょう。

好か　れる

お酒を飲んだら泣き上戸になるので、ドクターストップをかけられています。（笑）

めんどくさいことになりますよ、と忠告しておくのも一つの手です。

好かれる人のお酒の場の振る舞い

幹事さんに協力的になる
笑顔で頷き話を聞く
飲み物が足りているかチェック
店員さんが困らないようにお皿を片付ける
騒がしいときは周りのお客さんにひと言謝罪
しておくと素敵

忙しいときは

 今忙しいから、後にして

好かれる

○分後でもいい?

「後にして」と言われても相手はいつ相談に行けばいいかわかりません。
大切な相談かもしれないので、ないがしろにしないように、いつなら相談
可能なのか伝えてみましょう!

今は忙しくて手伝えません。

「できない」とはっきり言われると、次から誘いにくくなります。

これが終わったら手伝えます。

「できる」ことを伝えてくれるので好印象！

○○さんが暇そうだからあっちにお願い

自分が忙しいからといって他の人に投げるのはNG。

○時まで予定があるんだけど、急ぎかな？

急ぎであるかどうかを先に聞いておくと判断がしやすいです。

 いつも
 好かれる

 いつも
 好かれる

 いつも
 好かれる

 いつも
 好かれる

 いつも
 好かれる

 いつも
 好かれる

 いつも
 好かれる

 いつも
 好かれる

 いつも
 好かれる

 いつも
 好かれる

> **できる上司は…**
>
> ホウレンソウ（報告・連絡・相談）をしっかりしましょうと言われても上司や先輩が忙しいとなかなか声がかけづらいもの。
> 声をかけやすいように「今日は○時〜○時が相談タイムです。」などと、事前に相談タイムを設けるとgood！

LINEグループを
退会するとき

いつも　連絡せず退会

好かれる　LINEグループが
たくさんあったのを
一度整理したいから抜けるね。

グループを抜けたい場合は理由を伝えて退会する方が今後の関係にも
影響が少なく穏便に済ませることができます。

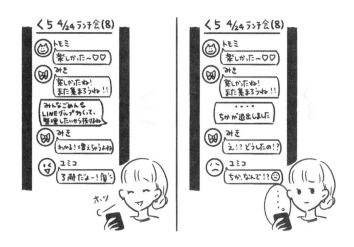

好か
れる

最近仕事が忙しくなってきたので返信できな
いかも。LINEグループを一度退会します。

参加が難しい理由を伝えてから退会しましょう。

好か
れる

スマホを替えるので一度退会します。

スマホ変更を理由に心機一転することを伝えましょう。

好か
れる

このLINEグループの活動もひと区切りついた
ので退会するね！　今回はありがとう！

イベントだけのつながりであれば感謝を述べて退会しましょう。

好か
れる

通知が多すぎて、電池が即なくなってしまうの
で抜けます。

相手がイメージしやすいスマホの消耗を理由に伝えることで、波風
を立てずに退会することができます。

LINEグループのチャットで
気をつけたいこと

- スタンプばかりが連続する
- 「今日さ」「よかったら」「遊びに」「行こ～！」
  と細かく区切って送信する
- 質問に対して誰も返事しない

言いかえは
自分の印象を変える魔法

第 **8** 章

お詫びの
言いかえ

いろいろな謝罪の言葉

いつも ごめんなさい。

好かれる 失礼いたしました。

謝罪のフレーズは丁寧であればあるほど、気持ちの深さを表すことができます。基本は丁寧に「失礼いたしました」「申し訳ございません」を伝えられたらOKです。

好か
れる

謹（つつし）んでお詫び申し上げます。

丁寧な謝罪を心がけたいときに伝えると◎
「心よりお詫び申し上げます」でもよいでしょう。

好か
れる

深謝（しんしゃ）いたします。

「深い」という漢字が使われていることからわかるとおり、改まった
場面で深い感謝や謝罪をする際に用います。

好か
れる

ご迷惑をおかけし、お詫びの言葉もございません。

「ございません」は謙譲語であり、自分の過ちやミスに対する真摯な
態度を相手に伝えることができます。

好か
れる

猛省（もうせい）しております。

心の底からの真剣な反省を意味しており、通常の「反省」よりも強い
ニュアンスが含まれています。

お 辞 儀 の マ ナ ー

一般に謝罪の際は「最敬礼」。
嫌味に見えない程度の角度まで、
ゆっくり下げて行き、下げきった状態
で一旦止まるぐらいのつもりで行い
ましょう。

お辞儀の角度は
45度から
60度

相手に勘違いを
させてしまったとき

 いつも

違います。
そうではありません。

好かれる

言葉が足りず、
申し訳ございません。

誤解されているときは否定をすると相手を責めている印象を与えてしまい
ますが、こちらの伝え方に問題があったように、自分事化で伝えると相手の
聞く態勢を整えることができます。

**好か
れる**

こちらの説明不足でした。

言葉足らずの他に「説明不足」「説明不十分」に言いかえて伝える
のもいいでしょう。

**好か
れる**

誤解を与えてしまい申し訳ございません。

誤解を与えたことを素直に謝罪しましょう。

**好か
れる**

一つ訂正がありまして…

相手を否定するニュアンスが強い「間違い」とは言わず「訂正」と
いう言葉を使ってみましょう。

**好か
れる**

念のため再度お伝えしたいのですが…

もう一度伝えて誤解を解くのも一つの方法です。

約束が違うときのクッション言葉

私は○○と認識していたのですが…
当初のお約束とは○○の点が、
違うようですが…
恐れ入りますが○○ではありませ
んか？

**クッション言葉は
大切！**

謝罪に続く言葉

いつも

今後は注意します。

好かれる

このようなことがないよう、
肝に銘じます。

謝罪のあとには反省だけでなく、反省を生かした今後の対策を伝えることが重要です！　どのように改善するのかを伝えた上で、「肝に銘じる」と深さを表してみて！

好かれる

今後このようなことがないように気をつけます。

心して取り組むことを誓う言葉です。

好かれる

原因をすぐに調査いたします。

理由がわからない時は原因を探求することを伝えましょう。

好かれる

弁明の余地もありません。

事態に対して言い訳が全くできないことを示します。

好かれる

今後の改善策として〇〇いたします。

トラブルの改善策を早急に伝えると好印象を与えることができます。

謝罪の言葉

謝罪＋理由と覚えて！
［理由で使える言葉］
- 考えが及ばず　　　不手際があり
- お役に立てず　　　お力になれず
- ご期待に沿えず

「申し訳ございません。〇〇まで考えが及ばず、ご迷惑をおかけしました」

謝罪の言葉は
理由が大事！

遅れるとき

いつも

電車の遅延で遅れます。
ごめんなさい。

好か
れる

ごめんなさい。15分ほど
電車の遅延で遅れそうです。
暖かい場所で待っていてくださいね!

重要なのは「順番」と「時間」。言い訳が先ではなく、謝罪が先。ある程度
時間がわかるならどれくらい遅れそうか伝えましょう。自分が悪くなくても
謝罪の言葉は伝えて!

好かれる

よりによって〇〇さんとのお約束に
遅れてしまうなんて…

「よりによって」を伝えることで相手を大事に思っている気持ちが
伝わりやすくなります。

好かれる

お待たせしてごめんなさい。寒くなかったですか？

合流した際には謝罪と気にかける言葉を！

好かれる

遅れてごめんね。お詫びにこのあとおごらせて！

お詫びの気持ちをカタチにして伝えるのも◎

好かれる

ごめん、心配させちゃった。
どうしても、同僚を断れなくて…

素直に謝罪して、理由や事情を伝えよう！

遅刻？　間に合う？　ギリギリのときは

ギリギリ間に合うかわからないとき
にも念のため早めに連絡をしましょう。
「数分くらいなら大丈夫だろう」と
思わずに、連絡すると丁寧な印象を
与えられます◎

ミスをしてしまったとき

いつも

あちゃ〜どうしよう…

好^かれ^る

誠に申し訳ございません。
私の不手際で、〇〇様に
ご迷惑をおかけいたしました。

ミスしてしまった際は、迅速に丁寧な謝罪と改善策を伝えましょう。

いつも

PCの調子が悪くて…仕方がなかったんです。

いかなる理由であろうと、自分を守るような言葉は言い訳に聞こえてしまいます。

好かれる

私の確認不足で申し訳ございません。

言い訳をせず、まずは謝罪の言葉から伝えることが大切です。
伝えたい事情があれば、謝罪のあとにしましょう。

いつも

申し訳ございません。部下のミスです…

ミスの原因を正しく伝えることも大事ですが、自分以外の人に責任を転嫁するような言葉では謝罪の気持ちが伝わりません。

好かれる

ご迷惑をおかけし申し訳ございません。

どんな事情であれ、こちらの事情は相手には関係ないこと。
素直に謝罪しましょう。

相手がミスをしたら？

誰だってミスはあるもの。
許せるような軽いミスであれば、
「お気になさらないでください」
「お互いさまですから」などと
声をかけてあげると相手の気持ち
を軽くすることができます。

失言してしまったとき

いつも

冗談ですって。

好かれる

ひと言余計だったよね。

「ノリだった」「冗談だった」は余計に相手を傷つけてしまう言葉です。
失言に気づいたら、すぐに謝罪をしましょう。とぼけてしまうと、信頼度が
低くなります。

第 **9** 章

会話が弾む
言いかえ

会話のきっかけの作り方

いつも　天気がいいですね。

好かれる　こんないい天気だと出かけたくなりますね。○○さんはどこへ行きたいですか？

YES、NOで答えられる質問より、WHATで聞いて答えられる質問にすることで、会話が弾みます。

好かれる

わぁ！　素敵なバッグですね！
どこで買われたのですか？

目に入った情報から質問してみよう。「どこで買ったのか？」「いつから使っているのか？」など5W1Hで考えると質問が思いつきやすい！

好かれる

最近、コーヒー豆にハマっているのですが、
〇〇さんは何かハマっているものはありますか？

最近の自分の趣味や出来事から考えると、質問を見つけやすい！

好かれる

SNS拝見しました！　最近投稿されていた
北海道旅行はいかがでしたか？

見てもらいたい内容をアップしているSNSは、聞きやすい話題の一つです。会う前に事前に確認しておくと◎

好かれる

今朝ニュースで見たのですが…

リアルタイムの話題から会話を始めるというのは、汎用性が高いやり方です。

会話のきっかけテーマは「たちつてと中に晴れ」！

- た「食べ物」
- ち「地域」
- つ「（身に）着けているもの」
- て「天気」
- と「取り組み」
- な「名前」
- か「体（健康）」
- に「ニュース」
- は「流行り」
- れ「レジャー」

頭文字で話題を覚えてみて！

相づちを意識する

 いつも なるほど、なるほど。

好かれる おっしゃるとおりですね。

目上の方や取引先などビジネスで使用する相づちは「なるほど」を使わずに「おっしゃるとおりですね」と丁寧に伝えると◎

好かれる

私もそう思います。

「おっしゃるとおりです」の代わりにもなる言葉です。

好かれる

そうなんですね。

万能な相づちです。知らなかったことを聞いた際に使ってみましょう。

好かれる

勉強になります。

関心した内容の場合に話を聞けてよかったと伝えるフレーズです。

好かれる

本当ですね。

自分も納得した内容のときに使える定番のフレーズです。

相づちの種類

同意…そうですね
驚く…まさかそんなことが
喜ぶ…羨ましい限りです
同情…大変でしたね
相づちのレパートリーはたくさんある
と会話が弾みますよ!!

一辺倒の
相づちから
卒業しよう

相手を否定しない

あなたはまだいいじゃない。
私なんて…

好かれる

そうだったんだ。
大変だったね。

悩みの重要度は本人にしかわかりません。相談の内容を聞いて、たいした悩みではないと決めつけずに、寄り添う言葉をかけることが大切です。特に自分の悩みや話をすり替えてしまうのは絶対にNGです。

そんなのたいしたことないよ。

たいした内容なのかどうかは人それぞれ。自分の物差しで測らないようにしましょう。

 何が一番気になるの？

悩んでいる内容の特に深い部分を聞き出すフレーズです。

 私のときはこうだった。

昔と今とでは、状況が変わっていることが多いので、このアドバイスは避けましょう。

 そうなんだ。それでどうなったの？

現在の状況を確認しながら相談に乗ろう。

包容力がある人の特徴

包容力がある人の言葉には、共感や受け止める言葉と感謝の言葉があります。
例：大変だったね。よく頑張ったね。話してくれてありがとう！

共感と感謝を
忘れずに

興味から会話を広げる

 いつも

楽しそうですね。

好かれる

そのお話を聞いて
私も○○したくなりました。

相手の趣味やハマっているものの話を聞いてもっと話を聞きたい、興味がわいてきた際に伝えるフレーズ。「やりたくなった」はあなたの話で興味がわいたことを伝え、同じ趣味になるかもしれない期待感で心の距離が近づきやすいです。

いつも

いいものを持っていますね。

興味を持っていることは伝えられますが、物足りなさがあります。

好かれる

それ、前から気になっていたんです！
使い心地はいかがですか？

興味や共感が伝わり、その後の会話が弾むきっかけにもなります。

いつも

甘いものが好きなんですね。

「はい」という返事で会話が終わってしまい、会話が弾みにくい
質問です。

好かれる

最近美味しかったスイーツはなんですか？

WHATで聞く質問からWHYにつなげて会話してみましょう。

興味を伝えるちょい足し

いつものフレーズにちょい足し
をしてみるとグッと興味を持っ
ているように伝わります。

例：おかえり！
⇒おかえり！　今日はどうだった？

相手から話を引き出す

いつも
そうなんですね。

好かれる
どうして〇〇できるんですか？
コツを教えてください。

相手の得意なものを聞いた際には相手が話したくなる質問をしてみましょう。

好かれる
始めたきっかけは何だったんですか？

誰しもきっかけはあるはず。困ったときはきっかけを聞いてみましょう。

好かれる
魅力を教えてください！

好きなものを聞かれるのは嬉しいこと。
その人なりのおすすめポイントや魅力があるはずです。

好かれる
その後、どうなったんですか？

続きが気になることを伝えると、相手が話しやすい雰囲気を作ることができます。

好かれる
ＡとＢだったらどっちを選ぶ？

気軽にスッと答えられるような話題を振るのも会話に行き詰まったときに有効です。

関係性が薄いときはこの話題はＮＧ

- 年齢や容姿
- 家族関係
- プライベートに踏み込んだ話
- 政治や宗教
- 下ネタ

関係性が
まだ薄いときは
この類いの話題
は控えよう！

頼りなく聞こえる口癖をやめる

いつも
なんか…

好かれる
なんと言いましょうか。

「なんか」は幼稚に聞こえてしまいます。「なんと言いましょうか」と略さず
丁寧に使うことで大人の言葉遣いになります。

マジですか？

敬語を語尾に使っていたとしてもNGです。

 本当ですか？

目上の方や職場で話すときは丁寧な方が印象◎

 ヤバイ…

万能な言葉の代表ですが、この言葉を使い続けると語彙力が低下するので、頼りすぎないようにしましょう。

 大変素晴らしい！

その状況に合わせた単語で、気持ちを伝えるように意識しましょう。

若者言葉に気をつけて

相手や場所に応じて品良く伝えよう！
- ウケる⇒面白い／興味深い
- 超○○⇒とても○○／実に○○
- すごい⇒感銘を受けました
- マジで⇒誠に／心より
- ビビった⇒驚きました

「めちゃめちゃ」
なども要注意

わからない話になったら

いつも
> ゴルフのことは、
> わからなくて…

好かれる
初心者は何から
始めるといいですか？

「わからない」と答えてしまうとそこで会話が終わってしまいます。会話を続けるためにも、興味のある質問で返してみてください。

好かれる

初めて聞きました！

知らない話題は「初めて」や「知らなかった」と素直に伝えましょう。

好かれる

私の知らない世界のお話なので楽しいです。

世界を広げてくれるきっかけと思い、興味深く聞いてみましょう。

好かれる

ボールがカップに入る瞬間って やはり気持ちいいですか？

達成感など感情についての質問にするとgood!

好かれる

へぇ〜そうなんですね！

笑顔で相づちを打つだけでも、相手は自分の話を聞いてくれている ことに嬉しくなってくれます。

雑談上手さんの質問

例：「最近、英会話教室に通い始めたんです」
When（いつ）「いつから始めたのですか？」
Where（どこで）「どちらにあるんですか？」
Who（だれ）「どんな人が参加しているの？」
What（なにを）「どんな授業なんですか？」
Why（なぜ）「なぜ始めようと思ったの？」

5Wで質問する！

自分の話を切り出したいとき

 私にもこんなことがあって…

好か
れる
ちょっとだけ話してもいい？
今の話で思い出したんだけど

会話泥棒にならないように気をつけたいところですが、そろそろ自分の話も
したいときに、会話の流れから疑問形で相手に確認すると、「会話泥棒」
にならずに済みます。

その話、前にも聞いたよ！

同じ話を何回もする人に、話をさえぎって伝えていませんか？

**面白いですよね！
前聞いたときも笑っちゃいました。**

一度受け止めて、さりげなく前にも聞いたと伝えると◎

そろそろ時間が…

時間がないことを伝えられずに、最後に焦ってしまわないようにしたいところです。

ごめん、そろそろ行かなきゃ。また話そうね〜

次の予定があるときは理由を伝えてさえぎるのは◎

自分の話を聞いてほしいときに使える クッション言葉

興味がわくクッション言葉を伝えると、向こうからグッと聞く態勢になってもらえます。

- ここだけの話なんだけど
- ○○さんだから話すんだけど
- 今まで誰にも言ってないんだけど

話を戻したいとき

いつも　**話を戻しますけど…**

好かれる　**話が脱線して しまいましたね。**

話していくうちに、話がそれてしまうこともあります。時間が限られている際は、素直に「気づけば脱線してしまいましたね」とつい違う話で一緒に盛り上がってしまったと伝えることで、自然に話を戻すことができます。

好かれる

えーと、それで私たち何の話をしていたん
でしたっけ?

ふと我に返ったように伝えることで、自然と話を戻せます。

好かれる

すみません! 先ほどの〇〇について質問
してもよろしいですか?

やんわりと話の方向を修正でき、しかも質問形式ですので相手も
自分の話を修正されていることに不快な感じはしません。

好かれる

つい話し込んでしまいますね!
今度また、ゆっくりお話をお聞かせください。

次回につながる言葉を伝えれば、相手も喜んでくれるはずです。

好かれる

興味深いお話ですが、本題についてお話し
してもよろしいでしょうか?

「とても興味はある」ことを伝えつつ、話を戻したい旨を丁寧に伝え
たいときの表現です。

脱線話をうまく引き戻すには

「間」を作るのが大事です。間が
作れるように、一度黙って相手の
話を聞いてみてください。このとき、
声は出さずに表情のみ相づちを打ち
ましょう。間ができたタイミングで、
話を切り出しましょう。

間は怖くない!

話を切り上げたいとき

もういいですか？

好かれる

もっと聞きたいのですが、
予定がありまして。
改めて聞かせてください。

次の予定があるのに、なかなか話が終わらないときは、自分の感情の
クッション言葉を入れて円滑に終わりましょう。

好かれる そろそろ解散しましょうか？

話も落ち着き、話題に困ったときに切り出すフレーズです。

好かれる ○○さん、お忙しいのにお時間大丈夫ですか。

相手の時間に配慮しているように伝えれば、話を切り上げたとしても悪い印象にはなりません。

好かれる 大変勉強になりました。ありがとうございました。

話をまとめて感謝の言葉を述べると終わった感じが出せます。

好かれる あっ！　もうこんな時間なんですね。
楽しくて聞き入ってしまいました。

あなたとの会話が楽しいとさりげなく褒めて終わると好印象◎

「えー」「あのー」「まぁ」をやめよう

間を埋めるような口癖を
つい言ってませんか？
話の終わりがわからず、
会話に入れなくなります。
相手が会話しやすいよう
にあえて間を作りましょう。

「相手が遅刻して謝られたとき」何て言う？

つみきちのフォロワー13万人超にお題の言いかえを考えてもらいました！

ユーモア部門 私に会うのが楽しみで寝られなくて寝坊しちゃったの？／今日地球がふだんより遅く回っているようで遅刻してないよ／もしかして、目覚まし時計も寝坊かな？／来世は私がそっち側な／時を戻そう／私の時計が10分早かったのかな？ 修理してもらえる？／ストップウォッチ押して私って何分まで待てる人か試してたわ／準備が念入りになっちゃった？／私は海よりも深い愛をもっているから許しましょう！／何時だと思ってるの！ 私も着いたばかりなんだけど…笑 **許すけど条件部門** オッケー！ こっから巻き返そう！笑／じゃあ今度私が遅刻したら、フォローはお願いね！／これくらい遅刻に入らんて〜遅れた分、仕事がんばって〜／まー大好きだから許してあげましょう♡次からは気をつけてね？笑 **お金で解決部門** 次やったらアイス奢ってー！／そこまで言うなら……ケーキで勘弁してあげる／（親しい人なら。実際は自分で出しますが）コーヒーごちそうさまでーす！／キャラメル一個で許してあげる♡／大好きな苺のデザート食べたいなぁ／遅刻したお詫びの気持ちをスタバのフラペチーノで表現してみて！ **やさしさ部門** 私も今来たところ！グッドタイミングね♡／怪我なくて安心したよ！笑／いまついたとこー、私もいつもギリギリだから／用意周到に準備してたら時間なくなっちゃうよね／忙しい中来てくれてありがとう♡／私も今日めっちゃ遅れそうだった／私のために急いで来てくれたんだね、ありがとう！／私も遅れた事あるから全然大丈夫！会えて嬉しいよ〜！／私が先に待たせたこともあったから今日でお互い様だね／○○さんも遅刻する人ってむしろわかって安心したよ／いいよ、いいよ。○○分遅れたぐらい。さぁ楽しもう！ **自分時間部門** 自分の自由な時間が出来てよかったわ／気にしないで！ 私もギリギリだったから少しゆっくりできてよかったよ〜／気になる漫画（本 ニュースなど）読んでたから大丈夫だよ／時間潰すの得意だから全然大丈夫！／インスタ見てたらあっという間だった／さっき寄りたい所に行けたからありがとう！／大丈夫です！待ってる間に仕事のメール送信できたので！／課題を考える時間ができたから、大丈夫！／ちょうどいい時に来てくれたよ！私も用事済ませられたから **楽しみ部門** これから過ごす楽しい時間をワクワクしながら待っていたから、あっという間だった！ 気にしないで！／待った分楽しませてね！／待つ時間も楽しいのよ〜／待っている時間はゆとりの時間かな／待ってた時間で、今日の夕飯決まっちゃった♡／待ってる間に今日の行動プラン立てられたから大丈夫だよ！／これからのランチがより一層美味しく食べられる！／よし！ 今日は楽しもう！

第 **10** 章

気持ちの
言いかえ

いろいろな「好き」

 いつも

このブックカバー
好きなんです。

好かれる

このブックカバーを
愛用しています。

「好き」と伝えるのが、届ける相手によって少し幼稚に思われそうで
あれば、好きの類義語を使ってみましょう。

好か
れる

愛着があるんです。

「愛着」は、長い間親しんだものなどに心が強くひかれて離れられない気持ちです。

好か
れる

この手帳お気に入りなんです。

ベスト1のものなど伝えたいときに使うフレーズです。

好か
れる

この味、毎日食べたいぐらい惚れました。

お気に入りになりそうなものはオーバーな表現で伝えて、
好き度をアピールしましょう。

好か
れる

重宝しています。

「便利で役に立つもの」や「大切なもの」に使うフレーズです。

たくさん知りたいポジティブな感情

嬉しい、幸せ、安心する、楽しい、
気持ちいい、満足、和らぐ、落ち着く
など心が温まるボキャブラリーが
増えると毎日が楽しくなります。

丁寧に喜びを伝える

いつも

めちゃくちゃ嬉しい。

好かれる

心から嬉しく思います。

相手によって品のある喜び方も覚えておくと便利です。心の底から喜びを伝えたいときは「心から」をつけるとより伝わります。

そう言っていただけて
心から
嬉しく思います

好かれる

大変光栄です。

自分の功績や行動を周囲に称賛されたとき、また重要な役割を
任されたときなどに、伝えることができます。

好かれる

この上ない喜びです。

「これ以上ない喜び」や「最上級の喜び」との意味で使用される
言葉です。

好かれる

幸甚の至りです。

「これ以上ないほど幸せ」という強い喜びを表す大人の表現です。

好かれる

喜ばしく思います。

相手への尊敬を示しながら感謝や喜びを伝えるフォーマルな表現
です。

体を使って喜びを伝える

- 心躍りました
- 胸がいっぱいです
- 心掴まれました
- 思わず目頭が熱くなりました
- 体が震えるほど喜びがこみ上げる

体のパーツを
入れると
より伝わりやすい

喜びを伝えて打ち解ける

 いつも

嬉しい！

好かれる

トキメキました！

プレゼントをいただいたときなど喜びや期待で胸の鼓動が高まるときに使えるフレーズです。例：プレゼントにトキメキました！

好かれる
嬉しくて言葉にできない。

感動のあまり言葉がすぐに出てこないときに伝えられます。

好かれる
なんでこれが好きってわかったの？

ドンピシャで好きなものをいただいたときに伝えると◎

好かれる
幸せな気分です。

「嬉しい」の他にも「幸せ」と表現するのも◎

好かれる
舞い上がりすぎて、ちょっと私浮いてません？(笑)

あまりにも自分にとって嬉しいことが起きたときのユーモア表現です。

距離が縮まる喜び表現

- 天にも昇る心地
  ⇒ 今年一番幸せな出来事です
- ノリが合って嬉しい
  ⇒ 初めて会った気がしませんね！

褒められたら嬉しさを伝える

いつも
当たり前のことを
したまでです。

好かれる
喜んでいただけて
嬉しいです。

謙遜してしまいがちですが、褒めた方は喜んでほしくて伝えているはず。
褒められたことを素直に受け取りましょう。

好かれる

自分ではそんな風に思っていなかったので とても嬉しいです！

思いもしなかった褒め言葉に「感動」していることを伝えられる表現です。

好かれる

そんなところまで見てくださっていたんですか！ 嬉しいです。

細かなところまで見ていてくれた人に伝えると◎

好かれる

嬉しくて顔がにやけちゃいました。

褒め言葉が恥ずかしくて照れ隠ししたいときに素直に伝えると◎

好かれる

天にも昇る気持ちです。

「嬉しい」のレベル別表現も持っておこう！

褒められたときの3つのポイント

お礼を伝える
「ありがとうございます」
喜びの感情
「嬉しい」「幸せ」「胸躍る」など
今後の決意
「これからも頑張ります」

褒められ
慣れていない人は
3つを意識しよう！

褒められた
喜びを表現する

いつも ありがとうございます。

好かれる ○○さんに言って
いただけるなんて光栄です。

褒められたときにぜひ伝えてほしいのが、「あなたに褒められたことが
嬉しい」と相手を褒め返すのがポイントです。

好かれる

○○さんに褒められてさらに元気が出ました。

褒められたことによってどんな効果があったのか伝えるのも◎
例：「元気が出た」「勇気がわいてきた」など。

好かれる

褒めていただきたくて頑張りました！

ときにはかわいい表現を。「あなたのために頑張った」は嬉しい褒め
返しの一つです。

好かれる

憧れの○○さんに褒めていただけるなんて。
ここまで頑張ってきた甲斐がありました！

嬉しさはオーバーに伝えても、案外オーバーに聞こえないものです。
喜びの表現は大きく伝えてみて！

好かれる

そのお言葉が何より励みになります。

「何より」は「最もよい」という意味です。あなたがわざわざ伝えて
くれた言動が嬉しいと伝える表現です。

マイナスの出来事もプラスに変える

引きずってしまうマイナスな出来事も捉え方を
変えれば切り替えやすいです。
　失敗 ⇒ いい経験
　振られた ⇒ 自分磨きのチャンス
　ドタキャン ⇒ 自分の時間を作れた
　スマホの充電が切れた
　⇒ 景色を楽しめる

ネガティブより
ポジティブの方が
人に好かれ
やすい！

ネガティブな感想を持ったら

 いつも

まずい

好か
れる

独特な味

思ったことをそのまま伝えると傷つく人も。視点を変えて伝える練習もして
おきましょう。

180

いつも

嫌い

個人の感想だとしても、相手を傷つける可能性があるネガティブワードは控えましょう。

好かれる

独特／くせのある／好きな人にはたまらない

相手は好きなものかもしれないので、言いかえて伝えましょう。

いつも

ビミョーですね。

肯定できない、むしろ否定的に傾いているような場合に使われがちのネガティブワードです。使用は控えましょう。

好かれる

うまく言い表せませんが…

伝えられないときほど、丁寧にその気持ちを伝えた方が好印象です。

「微妙」の本来の意味とは？

「言葉では言い尽くせない不思議で
奥深い素晴らしさ」を表す言葉。
いつの間にか現在では、悪くはない
けれど良くもない、どちらかというと
イマイチという意味で用いられます。

はっきりと
言いたくないときに
多く使われる！

不平不満は
優しい言葉に包む

いつも

話が違います。

好かれる

このように
認識しておりました。

相手の意見と自分の意見が食い違っていることを認めることで、相手の意見を尊重していることを示すことができます。

私はそんなこと言っていません。

言ってないことが事実だとしてもキツイ表現です。

好かれる **認識の相違があったかもしれません。**

「かも」をつけることで和らげる表現になります。

 あなたのせいでみんなが困ってるよ。

相手を攻撃している言葉なので、好ましくありません。

好かれる **○○のために、あなたに協力してほしい。**

目的のためには、攻撃ではなくお願いをしてみると◎

不平不満は「ちょっと」で解決

「ちょっと」を付け加えることで和らげる
ことができます!

どいて ⇒ ちょっと後ろ通ります。
しっかりして ⇒ あとちょっと頑張ろう!
いい加減にして
⇒ もうちょっと話を聞いて!

相手の言葉に傷ついたら

いつも

そんな言い方しないで。

好かれる

そんな言い方されると
私は悲しい。

相手を責めるフレーズはケンカの原因。感情を表して伝えてみましょう。

そんな言い方されると私は悲しい

そんな言い方しないで

いつも

ひどい！　人の気持ち考えたことある？

相手に強く返答を求めたり、抗議したりする伝え方なので、関係性に亀裂が入る危険性があります。

好かれる

今の言葉は傷ついちゃうな。

素直に「傷つく」ことを伝えた方が理解してもらいやすいです。

いつも

いつもあなたは私を馬鹿にして。

「いつも」と誇張することで、相手に悪いイメージを常に持っていると伝わるのでNG。

好かれる

馬鹿にされてる気分になった。

自分がどんな気持ち・気分なのか、ストレートに伝えてみましょう。

イヤな気分を長引かせない「気持ちの切り替え方」

イヤなことを頭でぐるぐる考えてしまって切り替えられないとき、体を動かして夢中にさせることが効果的です。体を動かすと、脳はその動きに集中するのでイヤなことを考え続けるのが難しくなります。
例：スクワットをする　散歩する　など

体で例える系 心臓飛び出したら拾ってね♡／大きく深呼吸して！／やればできるとガッツポーズ／心がドキドキ飛び跳ねてます♡／あれ、私の心臓の音スピーカーになってます？／口から心の臓(しんのぞう)が出てくる／心拍数あがるな／胸が躍り出し始めた〜！／心臓が震えるほど盛り上がってきた！／ハートに魔法がかかったみたい／きいてみて！　心臓もすごく楽しみって言ってるね♡／血流アップで美しくなっているわ／アドレナリンが半端ない！／心臓がワクワクしてる♡／心臓が全速力／心臓がはりきってる！／興奮と期待が胸を高める！／心臓だけじゃなくてもう、肝臓とかまでドキドキしてる気がする！／スーハースーハー、酸素をたっぷり吸い込むぞ！／心の脱皮中だ！／全身が「いいね👍」してくれてる！　**オノマトペ系** ワクワクしてきた／見て！　ドキドキして手が震えちゃってるよ！ちょっとギューって握ってくれないかな？／ドキがムネムネ〜！／ばくばくするよ／あの日のような高鳴る鼓動……これは、成長のドキドキだ／ワクワク新世界！／ドキ胸ワクテカしちゃいますね！／これから面白いことが始まるウキウキしてきた／バイブスあげあげ、ワクワクすっぞ！／目標にさらに近づいてワクワクする／ドキドキが気持ち良いアレ／ドキドキがワクワクに変わる瞬間がやってきました！／心臓が、パンパン！／このドキドキを誰かに分けてあげたい！／キタキタ〜、この瞬間／ドッドッド！　エンジンかかってきた！　**努力系** これまで一生懸命がんばった証拠！／真剣に取り組んでいる証拠！／頑張っている証拠！／日々努力してきた分、気持ちが高まる！　**楽しみ系** さあ、楽しんでみよう♪／それくらいの楽しみがある！／高まるわー！／どんな未来になるか楽しみ！／きたよ〜きたよ〜／面白くなってきたー！／おぉ！レベルアップする時が来た！／いいね、ノッてきたねー／テンション上がってきた！／武者震いするほど楽しみ！／盛り上がってきた！／経験値上がるぅ〜／楽しくなってきたぞ〜　**自己暗示系** 主役は私！／私、集中出来てる！／練習したから、きっと大成功だっ／今が火事場の馬鹿力を発揮する時！／練習したからいけるっしょ／なんくるないさ〜。リラックス！／大丈夫。自分を信じよう。／「はりきる気持ちがあふれてる！」／うわぁ〜最高の舞台が迫ってきた！／やる気が爆発しそう／準備万端！　OK！／前のめりになってきた／ときめいてる／チャンス到来／新しいステージにあがる第一歩！／今エネルギーのスピード出しすぎだからブレーキ踏んで落ち着こう／乗り越えて一回り成長するんだ！すてきになるんだ！／実力以上の力は発揮できない／今まで頑張ったんだから大丈夫だよ！／一皮むけるチャンス！／成長する／気合が入る／アピールチャンスだ◎／いつになく「真面目モード」　**みんな一緒系** 自分と同じ気持ちの人と出会えるチャンス！／大丈夫！みんなじゃがいも！／みんな同じ気持ちだから大丈夫

第 **11** 章

質問・返事
の言いかえ

答えやすい質問を意識する

 いつも

いつ、ヒマ？

好かれる

いつ頃、落ち着いてる？

ヒマは上から目線の失礼ワード。「ヒマなんてない…」と反発したくなる質問よりも、落ち着いている時期に会おうと言ってくれる方が、好印象で答えたくなります。

なに食べたい?

相手との関係性によってはこの回答は困らせてしまいます。

和食と中華どっちが食べたい?

ある程度選択してくれていると、答えやすいので◎

日曜日どこ行きたい?

丸投げされる質問は「ない場合」に相手が困ってしまいます。

どこへ行きたいか一緒に考えよう。

一人の意見ではなく一緒であることで好印象◎

イエスかノーで答えやすい質問

ときにはイエスかノーで答えられる簡単な質問も喜ばれます。例えば、食事をしているときに「それ、どんな味?」と聞かれても表現できない場合も。「どう?　美味しい?」ときいて、イエスかノーで答えやすい質問ができると◎

正しい敬語を使う

いつも 了解しました。

好かれる 承知いたしました。

「了解しました」は、同僚や後輩などに使う言葉です。目上の方やお客様には正しく「承知しました」を使いましょう。

好かれる

お名前を伺ってもよろしいでしょうか。

「お名前を頂戴できますか」は、間違いです。「頂戴する」は「もらう」の謙譲語であり、物に対して使う言葉なのでNGです。

好かれる

申し伝えます。

「伝えておきます」は間違いです。「～しておきます」は丁寧語ですが、謙譲表現ではありません。

好かれる

いかがなさいますか？／いかがいたしましょうか？

どうしますか？／どうしましょうか？　は丁寧さに欠ける印象を与えてしまいます。「どう」という言葉自体がくだけたニュアンスがあるためです。

好かれる

まずは、ご報告のみにて失礼いたします。

「取り急ぎご報告まで」には「間に合わせの処置として」といった意味合いがあるためお客様や上司に使うのは失礼と受け取られることも。

他にも間違いやすい敬語をチェック！！

- おられますか　　　　⇒いらっしゃいますか？
- 私の方で担当します⇒私が担当します
- ご持参ください　　　⇒ご用意ください
- ご一緒します　　　　⇒お供させていただきます

191

相手への配慮を忘れない

 いつも おわかりいただけましたか？

好かれる 説明不足の点は
ございませんか？

「あなたはわかった？」と上から目線に聞こえる言葉なので、注意。

いつも

〇月〇日に変更お願いします。

相手の都合を考えずにお願いするのはNGです。

好かれる

こちらの都合で恐縮ですが、
変更は可能でしょうか?

申し訳ない気持ちをクッション言葉で表現しつつお願いをして
みましょう。

いつも

何かお困りですか?

「困っている」状況なのかわからないときに決めつけて話かけるの
はNGです。

好かれる

よろしければ、伺いましょうか。

状況がわからないときは、クッション言葉を入れて相手を気遣う
フレーズで伝えましょう。

配慮のクッション言葉

覚えておくと丁寧さが伝わります。

- 恐れ入りますが
- お手数ですが
- ご多用のところ
- 可能でしたら
- 差し支えなければ

選べずに迷ったら

 いつも

なんでもいいです。

好かれる

どれも魅力的ですね。

「なんでもいい」は「どうでもいい」や「投げやりな人」と思われることもあるのでマイナスの印象に。

好かれる

迷いますね！ おすすめはありますか？

自分で決めるのが難しいときはおすすめを聞いてみましょう。

好かれる

今日の気分は…コレで！

その日の気分で決めるのも選択方法の一つです。

好かれる

○○さんと同じものを頼んでもいいですか？

迷って時間がかかりそうなときは相手に合わせて同じものを頼むと◎
例：私も同じカフェラテのホットで！

好かれる

よかったら他に食べたいものがあれば、それを頼んでシェアしませんか？

優柔不断で選べない場合は、相手にもう一品選んでもらう方法もあります。

優柔不断を解決する 3つのポイント

- 期限を設けて決断グセをつける
- 決断した自分を褒める
- 100％の正解はないと理解する

質問が思い浮かばなかったら

 いつも

（質問はありますか？）
大丈夫です。

好かれる

ありがとうございます。
わからないところがあれば
また質問させてください！

「大丈夫です」は少し冷たい印象に感じることも。困ったときに頼りたいことを伝えておきましょう！

好かれる

○○さんの説明がとてもわかりやすかったので理解できました！

相手を褒めつつ、理解できたことを伝えましょう。

好かれる

今後ご助力をお願いするかもしれません。

「相談させてください」よりも、より具体的な支援や協力を求める場合に適しています。

好かれる

何か注意しておくべき点などあれば教えていただきたいです。

注意事項を逆に確認しておきましょう。

好かれる

助かりました！　これで十分です！

なければ十分であることを伝えましょう！

質問はないですか？　と質問はありますか？

「質問はないですか？」と言われると「ない」に反応し相手は質問がしにくいです。
一方、「質問はありますか？」と言われると「ある」ことに反応して手が挙がりやすい傾向があります。

この違いを
理解しておくと◎

角を立てずに逃げる

いつも

〇日って空いてる？　と聞かれたら、

（先にどんな
お誘いか知りたい…）

好かれる

〇日って空いてる？　と聞かれたら、

連絡待ちが1件あるんだけど
何かあった？

困った質問を聞かれたときに、素直に答えずに回避するためのフレーズは
覚えておくと便利です。

好か
れる

ご想像にお任せします!

「彼氏いるの?」などプライベートな質問に答えたくないときに使える
フレーズです。

好か
れる

この話、5時間ぐらいかかりますけどいいですか?

ユーモアにごまかすフレーズで、答えたくない質問をかわしましょう。

好か
れる

もっとお酒が入ってから話しますね!

もう少し心の距離が縮まってから話すように促すフレーズです。

好か
れる

プライベートなのでナイショです!

冗談っぽく笑いながら、ごまかしましょう。

「それいくら?」価格を聞かれたときの回避

特に答えたくないお金に関する質問は
うまくごまかして!
「プレゼントだからわからないんです」
「消しゴム1万個分かな?」
「家族にも内緒で買ったので誰にも
言えません(笑)」

うまくごまかして
回答を回避しよう!

ネガティブなニュアンスを消す

 いつも

大丈夫です。

好かれる

いいですよ。

「大丈夫」は肯定でも否定でも使う言葉。状況によっては、相手に
否定的な意味で捉えられてしまうかもしれません。

いつも

ご都合が悪ければ…

「悪い」というネガティブワードは控えましょう。

 好かれる

ご都合がよろしければ…

よいと変える方がポジティブな印象に!

 いつも

ちょっと困ったことになりまして…

何が起きたのか相手が身構えてしまう表現です。

 好かれる

少々ご相談したいことがございまして…

「相談」という言葉を使うと、相手が注目してくれ、冷静に話を
聞いてもらうことができます。

ネガティブな印象の言葉を変換

ネガティブワードを控えたり、「ない」よりも「ある」に
変えて伝える方が好印象です!
大変失礼ですが ⇒ お手数ですが
もう1時間しかない ⇒ まだ1時間もある
この条件では無理です
⇒ ○○がクリアできれば可能です

妥協のニュアンスを消す

いつも
コーヒーでいいです。

好かれる
コーヒーがいいです。

たった一文字の違いですが、「で」は妥協に聞こえるので要注意です。

この製品、デザインはいいですね。

「は」と言うと他は良くない印象を与えるので失礼です。

この製品、デザインもいいですね。

褒めるときは「も」をつけて良いところだらけ感を伝えると◎

いつも

で？　結論は？

話の内容が気になるときの「で？」の一文字は圧迫感があるので
NGです。

好かれる

それでどうなったの？

丁寧に続きを聞くと圧迫感がなく好印象◎

一文字で自信も伝わる日本語

「英語が使えます」と「英語は使えます」
自信がありそうなのは、前者です。後者は、「なんと
か」「かろうじて」使えるというニュアンスで、自信
のなさが見えてしまいます。
あえて、保険をかける意味で「は」を使うのはいい
と思いますが、「が」を使った方が自信があるよう
な印象になります。

その場で回答できないとき

いつも

わかりません。

好かれる

誠に申し訳ございませんが
存じません。

「存じません」は、「知りません」という意味合いが強い言葉で、謙譲語のため、上司や目上の人などに「わからないこと」を伝える際に活用しやすい表現です。

好かれる

確認いたしますのでしばらくお待ちください。

わからないで終わらせずに、確認することを伝える方が好印象◎

好かれる

その件については私ではお力になれず申し訳ございません。

力になれない場合は理由を伝えてお詫びしましょう。

好かれる

私ではわかりかねますので担当に代わります。

回答できる人がいる場合はすぐ代わりましょう。

好かれる

こちらではお答えすることが難しい状況です。

「難しい」で和らげて伝えてみましょう。

脳が考えなくなるNGワード

「できません」…思考停止代表ワード、できるか考える前に決めると成長が止まります。
「まぁいっか」…後回しにすることで考えるのをやめてしまいます。
「難しい」…難しいと思い込んでやめてしまいます。

STAFF

装丁・本文デザイン：奈良岡菜摘
イラスト：shari シャリ
校正：あかえんぴつ

つみきち

（筒 美由紀）

一般社団法人好かれる言いかえラボ代表
セミナー講師、司会者、元ラジオパーソナリティ

大阪府出身。大学卒業後から現在に至るまで、司会者として様々な企業や自治体の式典、イベントMC等を務め、ラジオでは特番や複数の番組のメインパーソナリティを務めた。聴き手・読み手が心地よく、親近感や前向きな印象を感じられる「言いかえ」を10年以上にわたり研究。集めた「言いかえ」をInstagramで投稿すると、アカウント開設から10か月で10万人超がフォローし、1年9か月間の総閲覧数が約1億PVを突破。2023年には「フォローしたくなるインフルエンサーアワード」で最優秀賞を受賞。フォロワーからの要望を受けて執筆した電子書籍『なぜか好かれる人のヒミツの言いかえ』は、Amazonランキングの5部門で1位を獲得。
現在は司会業に加え、企業研修やママさん向けの言いかえセミナー、高校生らを対象としたキャリアを考える講演会・ワークショップ、Instagram運営のオンラインスクール、夢の実現・目標達成のための継続・習慣化講座で講師を務める等、活動の場を広げている。

一般社団法人好かれる言いかえラボ
https://www.iikae.jp

HP

Instagram

なぜか好かれる人の言いかえ手帖

2024年4月26日　初版第1刷発行
2024年9月18日　初版第2刷発行

著　　者　　つみきち

発 行 者　　出井貴完
発 行 所　　SBクリエイティブ株式会社
　　　　　　〒105-0001　東京都港区虎ノ門2-2-1
印刷・製本　　三松堂印刷株式会社

本書をお読みになったご意見・ご感想を
下記URL、またはQRコードよりお寄せください。

https://isbn2.sbcr.jp/23388/